ESCOLHA ISSO, NÃO AQUILO!

Fuja das dietas
aprendendo a comer:

ESCOLHA ISSO, NÃO AQUILO!

Antonio Herbert Lancha Jr.

Luciana Oquendo Pereira Lancha

Manole

Este livro contempla as regras do Acordo Ortográfico da Língua Portuguesa de 1990, que entrou em vigor no Brasil.

Capa, projeto gráfico e editoração eletrônica: Thereza de Almeida
Fotos: Stela Handa
Produção de culinária: Maria Olinda Cabral e Rosa Kloser

Dados Internacionais de Catalogação na Publicação (CIP)
(Câmara Brasileira do Livro, SP, Brasil)

Lancha Jr., Antonio Herbert
Fuja das dietas aprendendo a comer: escolha isso, não aquilo! / Antonio Herbert Lancha Jr., Luciana Oquendo Pereira Lancha. – Barueri, SP: Manole, 2012.
Bibliografia.
ISBN 978-85-204-3042-2
1. Alimentos 2. Alimentos – Combinação 3. Corpo – Peso – Controle 4. Dieta para emagrecer 5. Dietética 6. Hábitos alimentares 7. Nutrição 8. Saúde – Aspectos nutricionais 9. Saúde – Promoção I. Lancha, Luciana Oquendo Pereira. II. Título.

12-00483 CDD–613.201

Índices para catálogo sistemático:
1. Dietas para emagrecer e nutrição: Promoção da saúde 613.201
2. Emagrecimento: Dietas: Nutrição: Promoção da saúde 613.201

1ª edição 2012

Editora Manole Ltda.
Av. Ceci, 672 – Tamboré
06460-120 – Barueri – SP – Brasil
Tel.: (11) 4196-6000 – Fax (11) 4196-6021
www.manole.com.br
info@manole.com.br

Impresso no Brasil
Printed in Brazil

Dedicamos este livro
a duas grandes amigas,
incentivadoras deste projeto:
Suzana Galvão Ceridono
e Geyze Marchesi Diniz

SOBRE OS ORGANIZADORES

ANTONIO HERBERT LANCHA JR.

Mestre e doutor em Nutrição pela Faculdade de Ciências Farmacêuticas da Universidade de São Paulo (USP). Pós-doutor em Internal Medicine na School of Medicine da Washington University. Professor titular de Nutrição Aplicada à Atividade Física da Escola de Educação Física e Esporte da USP.

LUCIANA OQUENDO PEREIRA LANCHA

Bacharel em Esporte pela Escola de Educação Física e Esporte da Universidade de São Paulo (USP). Nutricionista pela Faculdade de Saúde Pública da USP. Mestre em Bioquímica pelo Instituto de Biologia da Universidade Estadual de Campinas (Unicamp). Doutora em Ciências pelo Instituto de Ciência Biológicas da USP. Nutricionista responsável pelo Departamento de Nutrição do Instituto Vita.

SOBRE OS AUTORES

ANA CAROLINA GARCIA

Nutricionista pela Universidade de São Paulo (USP). Especialista em Nutrição Aplicada ao Exercício Físico pela Escola de Educação Física e Esporte da USP. Especialista em Nutrição Humana Aplicada e Terapia Nutricional pelo Instituto de Metabolismo e Nutrição. Nutricionista do Instituto Vita.

ANA PAULA CONSENTINO FRANZESE

Nutricionista pelo Centro Universitário São Camilo. Especialista em Metabolismo e Fisiologia aplicados à Nutrição e Atividade Física pela Universidade de São Paulo (USP). Especialista em Promoção da Saúde pela USP.

DESIRE F. COELHO

Nutricionista pelo Centro Universitário São Camilo. Bacharel em Esporte pela Universidade de São Paulo (USP). Especialista em Transtornos Alimentares pelo Hospital das Clínicas da Faculdade de Medicina da USP (HCFMUSP). Mestre em Educação Física pela USP. Doutorando em Ciências pelo Instituto de Ciências Biológicas da USP. Nutricionista do Instituto Vita.

Marco Dias Leme
Nutricionista pelo Centro Universitário São Camilo. Engenheiro de Alimentos pelo Instituto Mauá de Tecnologia. Nutricionista do Grupo de Dor do Instituto de Ortopedia e Traumatismo do Hospital das Clínicas da Faculdade de Medicina da USP (IOT-HCFMUSP).

Mariana Fontana
Nutricionista pelo Centro Universitário São Camilo. Pós-graduada em Fisiologia do Exercício pela Universidade Federal de São Paulo (Unifesp). Aprimoramento em Transtornos Alimentares pelo Ambulim (Instituto de Psiquiatria do Hospital das Clínicas da Faculdade de Medicina da Universidade de São Paulo – IPq-HCFMUSP). Nutricionista do Instituto Vita. Nutricionista colaboradora do Protad – IPq-HCFMUSP.

Patricia Campos-Ferraz
Nutricionista pela Faculdade de Saúde Pública da Universidade de São Paulo (USP). Doutora em Bioquímica pelo Instituto de Biologia da Universidade Estadual de Campinas (Unicamp). Pós-doutoranda em Educação Física pela USP. Nutricionista do Grupo Pão de Açúcar e do Instituto Vita.

Patricia Oliveira
Nutricionista pelo Centro Universitário São Camilo. Pós-graduada em Fisiologia do Exercício pela Universidade Federal de São Paulo (Unifesp). Mestre em Educação Física pela Universidade de São Paulo (USP). Nutricionista da Nutriaid Consultoria em Qualidade de Vida.

SUMÁRIO

PREFÁCIO

Bons hábitos alimentares. Esta frase, tão fácil de pronunciar, acoberta muitas desinformações e deixa no ar uma série de dúvidas. A boa alimentação e a correção de maus hábitos, muitas vezes decorrentes de erros "consagrados pelo uso", são estratégias que requerem cada vez mais orientações corretas e com base no conhecimento científico.

Certamente a obra dos professores Antonio e Luciana Lancha vem exatamente preencher este espaço de forma correta e sobretudo inteligente. Apesar de "suspeito" para falar dos autores, pelo forte vínculo de amizade que nos une, fiquei lisonjeado pelo convite para escrever este prefácio, mas extremamente satisfeito por ter a oportunidade de expressar a minha opinião.

Eu estou certo de que os leitores encontrarão nesta obra a resposta para a maior parte de suas dúvidas a respeito de nutrição e promoção de saúde, além de esclarecimentos valiosos sobre dietas e programas de perda de peso. A ideia de abordar aspectos do dia a dia, como a ida a restaurantes, é verdadeiramente genial.

Os autores tiveram a felicidade de reunir nesta obra todo o seu conhecimento científico, fruto de uma vida acadêmica brilhante, o que inspira confiança e segurança, com a experiência prática de vários anos de consultório.

Certamente esse tema não poderia ter caído em melhores mãos.

DR. TURÍBIO LEITE DE BARROS NETO
Doutor em Fisiologia do Exercício pela Unifesp. Criador e coordenador do Curso de Especialização em Medicina Esportiva da Unifesp. Fisiologista do E.C. Pinheiros.

APRESENTAÇÃO

A OBESIDADE PODE E DEVE SER VENCIDA

O sobrepeso constitui a maior pandemia da atualidade[1]. Uma pesquisa de grande fôlego, publicada recentemente na revista médica *The Lancet*, apresenta números alarmantes[2]. Em 2008, quando os dados mais recentes da pesquisa foram colhidos, nada menos do que 1,46 bilhão de adultos estavam acima do peso considerado normal. Destes, 502 milhões eram obesos[3].

A incidência da obesidade quase dobrou ao longo do período estudado, compreendido entre os anos 1980 e 2008. E a projeção da Organização Mundial de Saúde (OMS) é que o número de obesos venha a alcançar o patamar dos 700 milhões em 2015 – o que corresponde a 10% de toda a população atual do planeta.

Embora reconheça que a etiologia da obesidade é "complexa" e "mutifatorial", um estudo divulgado pela Associação Médica Brasileira e o Conselho Federal de Medicina afirma que "o ambiente moderno é um potente estímulo para a obesidade. A diminuição dos níveis de atividade física e o aumento da ingestão calórica são os fatores determinantes ambientais mais fortes"[4].

O sedentarismo e a má alimentação são fenômenos cada vez mais disseminados e especialmente preocupantes quando consideramos sua rápida incorporação pelas faixas etárias mais jovens. De acordo com a "Pesquisa de Orçamentos Familiares 2008-2009", do Instituto Brasileiro de Geografia e Estatística (IBGE), uma em cada três crianças de 5 a 9 anos de idade estava acima do peso em 2009[5].

Por mais desafiador que seja o problema, não há por que nos curvarmos à sua frente como se estivéssemos diante de uma fatalidade. O sobrepeso e a obesidade podem e devem ser vencidos. Uma ação enérgica do setor público, nas esferas da educação e da saúde, uma atuação conscientizadora do setor privado e do terceiro setor, nas esferas da comunicação e da medicina, e uma consistente mudança de hábitos, nas esferas familiar e individual, são os três vetores que, conjugados e em sinergia, nos propiciarão um novo horizonte.

Desse ponto de vista, o presente livro se reveste da máxima importância, pois, de maneira direta e acessível, ajuda o leitor a refazer sua relação com o próprio corpo e o alimento, orientando não apenas o consumo regular, mas também os inúmeros consumos excepcionais, que de excepcionais só têm o nome, pois se tornaram praticamente imperativos no dia a dia contemporâneo.

Aos leitores deste livro, desejo um sucesso efetivo e duradouro na luta contra os números da balança.

Dr. Claudio Luiz Lottenberg
Médico oftalmologista, ex-Secretário Municipal de Saúde de São Paulo, e presidente da Sociedade Beneficente Israelita Brasileira Albert Einstein.

Notas

1 A palavra pandemia apareceu pela primeira vez nos escritos de Platão, que a empregou para nomear qualquer acontecimento capaz de afetar toda a população. O termo foi incorporado ao vocabulário médico no século XVIII. Hoje, é utilizado para designar uma enfermidade que se espalha por vários países e mais de um continente. Embora habitualmente o associemos a doenças infecciosas, como as viroses, o seu uso, no caso do sobrepeso e da obesidade, se justifica, até mesmo por considerações de caráter etimológico.

2 National, regional, and global trends in body-mass index since 1980: systematic analysis of health examination surveys and epidemiological studies with 960 country-years and 9·1 million participants. *The Lancet*, 12 de fevereiro de 2011, p. 557-567.

3 O United States Department of Health and Human Services, principal agência governamental de saúde dos Estados Unidos, utiliza o índice de massa corpórea (IMC) para estabelecer seu "padrão de normalidade". O IMC, como se sabe, é um número que correlaciona o peso e a altura do indivíduo. De acordo com a classificação do Departamento:

- o subpeso corresponde a um IMC menor ou igual a 18,5;
- o peso normal, a um IMC variando entre 18,5 e 24,9;
- o sobrepeso, a um IMC variando entre 25 e 29,9;
- e a obesidade, a um IMC igual ou maior do que 30.

4 Esse estudo, empreendido por Guedes EP, Carraro L, Godoy-Matos A, Lopes AC, foi concluído em 27 de setembro de 2005 e incorporado ao Projeto Diretrizes, iniciativa conjunta da Associação Médica Brasileira e do Conselho Federal de Medicina que tem por objetivo conciliar informações da área médica a fim de padronizar condutas que auxiliem o raciocínio e a tomada de decisão do médico.

5 Citado em "Os Números da Obesidade no Brasil: VIGITEL 2009 e POF 2008-2009", de Maria Edna de Melo, disponível em http://www.abeso.org.br/pdf/Obesidade%20no%20Brasil%20VIGITEL%20 2009%20POF2008_09%20%20II.pdf.

Primeira parte

INTRODUÇÃO

POR QUE SENTIMOS FOME?

A região que controla o consumo de alimentos, localizada no sistema nervoso, é chamada de sistema límbico e também atua nas emoções. Assim, por vezes temos sentimentos associados com fome ou saciedade exatamente pela duplicidade de funções dessa região.

Evolutivamente, herdamos o padrão genético do hominídeo (habitantes primitivos considerados os mais antigos representantes da humanidade de que se tem conhecimento). Isso significa que temos um sistema direcionado para preservar a gordura corporal. Diversos estudos mostram que o hominídeo possuía disponibilidade de alimentos durante seis meses do ano aproximadamente (primavera e verão), enquanto nos outros seis meses (outono e inverno) essa situação se invertia. Diferentemente do urso, que hiberna e reduz seu gasto calórico a ponto de produzir urina de forma mínima por seis meses, o hominídeo se mantinha em períodos de sono e vigília, mantendo elevado gasto calórico para sua sobrevivência. Dessa forma, sobreviviam apenas indivíduos com o padrão genético econômico. Assim, nós, como o hominídeo, temos a tendência de preservação da gordura corporal. Toda e qualquer ameaça à nossa reserva de gordura é entendida como risco à sobrevivência. O fato é que a fartura de alimentos, associada à baixa demanda energética da vida moderna, resulta em acúmulo de gordura. Combinando algumas manobras como jejum, alto consumo de gordura e restrição de algum nutriente, a consequência é estocar mais gordura e gastar menos, perdendo massa magra.

Todos conhecemos histórias de pessoas que ganharam muito peso quando passaram por momentos difíceis na vida, como morar sozinho fora do país, terminar um relacionamento de longa data, perder um ente querido. Esse fenômeno revela que a ingestão de alimentos está ligada a fatores emocionais e que, portanto, não comemos apenas por necessidade biológica. Desse modo, ao desprezarmos esses fatores, estamos desconsiderando variáveis fundamentais no controle da ingestão de alimentos. Todos nós possuímos lembranças que relacionam alimentos, aromas e sabores com momentos de nossas vidas. Esse acervo de paladares serve como uma proteção ao nosso organismo. E, da mesma forma que associamos o prazer com certos sabores, nossa memória também armazena lembranças de alimentos que nos fizeram passar mal.

COMO SABEMOS SE O QUE INGERIMOS FOI O SUFICIENTE?

De forma bastante genérica, pode-se dizer que possuímos dois sistemas, um quantitativo e outro qualitativo, que regulam aquilo que comemos. Pense no nosso estômago como um recipiente de volume limitado. Por ele devem passar todos os alimentos para se iniciar o processo digestivo e posteriormente chegarem ao sangue. Quando comemos, a forma de avaliar a quantidade de alimento ingerida se dá pela ocupação física do estômago, como se estivéssemos enchendo um balão. Esse mecanismo de ocupação gástrica recebe vários nomes, como plenitude gástrica ou saciação. Observe que em nenhum momento ao longo desse mecanismo foi avaliado o que o indivíduo ingeriu, mas apenas a ocupação física do estômago. O resultado desse processo é que, tão logo esse volume tenha deixado o estômago, poderemos ter novamente a sensação de fome. Outro ponto importante envolvido nesse processo é que, como o estômago é moldável, isto é, quanto mais comemos em volume, maior ele fica, acabamos comendo cada vez mais, precisando de cada vez mais volume de comida para ocupar o estômago, que vai se "dilatando". Com o passar do tempo, isso nos leva a um consumo energético maior. Acabamos por acostumar nosso estômago a um volume de comida maior do que realmente precisamos.

O segundo processo é mais complexo e envolve a avaliação da qualidade do alimento ingerido, em vias gerais, por meio de avaliações da composição sanguínea após o consumo dos alimentos. Assim, quando se deixa de comer determinado nutriente, é comum que esse mecanismo aja de maneira incompleta. Um exemplo disso é o famoso "grelhado com salada": tão logo acabamos de realizar essa refeição, rica em proteína, gordura, vitaminas e sais minerais – porém pobre em carboidratos –, sentimos aquela vontade de comer um doce (que pela culpa chamamos de "docinho", no diminutivo). Isso acontece porque nosso organismo sentiu a ausência do carboidrato, ou melhor, sentiu que a glicemia (concentração de glicose no sangue) pouco se alterou após a refeição, diferentemente das concentrações de lipídios (provenientes da gordura), aminoácidos (provenientes da proteína), vitaminas e sais minerais. Esse segundo mecanismo recebe o nome de saciedade, a qual ficou incompleta no exemplo apresentado.

É importante ressaltar que na maioria das vezes paramos de comer pela ação do primeiro mecanismo, pela sensação de estômago cheio, uma vez que o segundo mecanismo leva mais tempo para agir. Atualmente, fazemos as refeições cada vez mais rapidamente, não dando tempo suficiente para que o organismo comece a digerir os alimentos e absorva os nutrientes, para que atinjam a circulação sanguínea. Dessa forma, não damos tempo para o corpo perceber que foi alimentado e "enviar um sinal" avisando que podemos parar de comer. Paramos porque ocupamos o espaço físico do estômago, e isto, muitas vezes, leva-nos a comer mais do que nosso corpo precisa. É muito comum ter a sensação de que se comeu demais alguns minutos depois de ter parado de comer. Isso acontece porque, algum tempo depois da ingestão, o segundo mecanismo começa a agir e então teremos, por certo período, os dois mecanismos agindo ao mesmo tempo.

Portanto, não basta restringir a ingestão de determinado tipo de nutriente, pois sua ausência será sentida e diversos mecanismos de estímulo ao consumo serão disparados até que essa falta seja suprida. Da mesma forma, quando temos fome, não adianta apelarmos para o consumo de litros de água ou saladas monumentais com o objetivo de alcançarmos a plenitude gástrica, pois o desbalanço de nutrientes será percebido pelo organismo. Nosso corpo possui necessidades biológicas bem definidas, as quais, no entanto, são influenciadas por fatores sociais e emocionais. Assim, a modificação da composição corporal sonhada por muitos implica a compreensão dessas necessidades e de que elas precisam ser atendidas.

As dietas falham por desprezar tais aspectos, assumindo que a ruptura com o padrão alimentar é o primeiro passo para o emagrecimento. Porém, nosso padrão alimentar está ligado à nossa história de vida e, portanto, devemos levá-lo em consideração. Em vez de negá-lo, devemos utilizá-lo como base para a adequação nutricional, lembrando sempre que os nutrientes (carboidratos, lipídios, proteínas, gorduras, vitaminas e minerais) estão nos alimentos e que é possível compor uma ingestão nutricional compatível respeitando as escolhas pessoais.

ALGUMAS DICAS PRÁTICAS

- Nunca espere ficar com muita fome para então fazer uma refeição. Sua capacidade de escolha dos alimentos estará prejudicada nessa situação e seu sistema de síntese de gordura estará favorecido.
- Tente fazer as refeições com mais tempo e calma para que seu organismo tenha o tempo necessário para avisar quando for hora de parar.
- Na grandes refeições, tente ingerir previamente um bom prato de salada. Assim, seu estômago não estará vazio quando começar a ingerir alimentos com maior teor calórico (mas cuidado com a quantidade de azeite).
- Faça seu prato o mais colorido possível, assim você estará ingerindo grande variedade de nutrientes.

POR QUE ESTAMOS ENGORDANDO?

A obesidade já é considerada por muitos como uma pandemia. As causas são as mais variadas possíveis, passando pelas emocionais, sociais e biológicas. A questão é: por que estamos engordando?

A literatura científica tem apontado para fatores ambientais, como sedentarismo e consumo de gordura na dieta, e não para uma tendência genética no crescimento da obesidade mundial. Diversos pesquisadores têm apresentado as possibilidades de fatores ambientais modificarem a expressão gênica, ativando proteínas capazes de modificar a manifestação dos genes contidos no DNA. Isso significa que não teríamos uma alteração na sequência dos genes, mas sim uma alteração na forma como esses genes estão sendo manifestados no organismo. Na figura a seguir podemos visualizar esses fatores.

A tendência secular ao aumento da obesidade parece ocorrer paralelamente à redução na prática de atividades físicas e ao aumento do sedentarismo. O hábito da prática de atividades físicas é incutido na criança pelos pais e, quando desenvolvido na infância, tende a se manter do mesmo modo até a fase adulta. Além disso, observa-se uma redução natural no gasto energético devida à

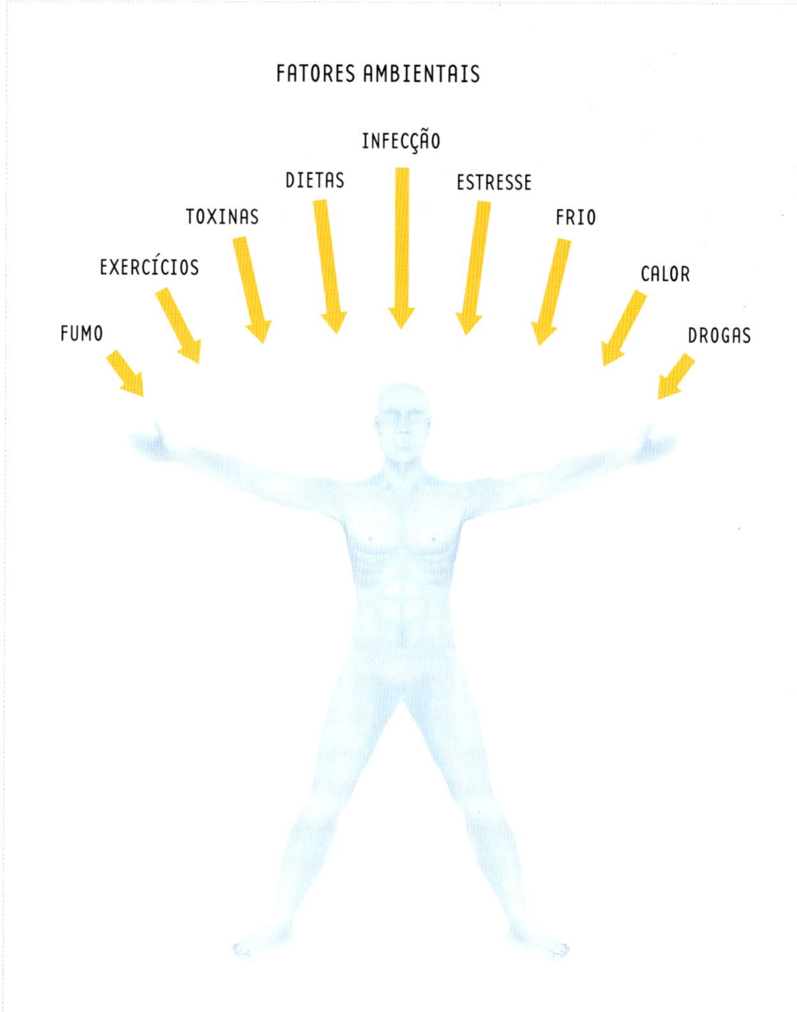
FATORES AMBIENTAIS
INFECÇÃO
DIETAS
ESTRESSE
TOXINAS
FRIO
EXERCÍCIOS
CALOR
FUMO
DROGAS

modernização, que possibilita um estilo de vida mais sedentário, com transporte motorizado e equipamentos mecanizados que diminuem o esforço físico de homens e mulheres tanto no trabalho como em casa. Já foi demonstrada uma redução de gasto de aproximadamente 600 kcal/dia nas crianças em razão da diminuição do tempo despendido com brincadeiras de rua e do aumento do tempo gasto com televisão e jogos eletrônicos. Para uma criança que tem como necessidade diária média 1.500 kcal, essa redução de 600 kcal é muito significativa. Do mesmo modo, cortar grama com as mãos gastava aproximadamente 500 kcal/hora, enquanto a utilização de cortadores elétricos diminuiu o gasto para 180 kcal/hora; lavar as roupas no tanque consumia aproximadamente 1.500 kcal/dia, enquanto usar a máquina de lavar requer apenas 270 kcal, por 2 horas, para a mesma quantidade de roupas. De fato, poucas atividades hoje em dia são classificadas como muito ativas, enquanto há algumas décadas várias atividades tinham essa característica. Hoje, 1 hora de atividade física na academia por dia é o mínimo que podemos fazer para compensar todo o conforto da vida moderna.

Por outro lado, a oferta, a disponibilidade e o acesso aos alimentos aumentaram muito nas últimas décadas. As porções servidas em alguns restaurantes e lanchonetes são cada vez maiores e, se não forem, o cliente reclama que saiu com fome. Em boa parte do Brasil o refrigerante pequeno dos cinemas tem meio litro.

Tudo leva a um consumo cada vez maior. Com a globalização e a melhora da condição social de parte da população, um número muito maior de pessoas tem acesso a alimentos industrializados em detrimento do consumo de alimentos *in natura*, isto é, frescos. No caso do Brasil, as mudanças demográficas, socioeconômicas e epidemiológicas ao longo do tempo permitiram que ocorresse a denominada transição nos padrões nutricionais, com a diminuição progressiva da desnutrição e o aumento da obesidade. Essas mudanças encontradas no padrão alimentar da população brasileira, com maior consumo de gordura saturada, maior ingestão de açúcar, redução no consumo de fibras e cereais (como arroz e feijão) são responsáveis, somadas à redução do gasto energético, pelo aumento da obesidade e sobrepeso, e também pela dificuldade que indivíduos comuns têm em emagrecer.

Além de todo o conforto que a modernidade oferece, temos várias desculpas que acabam nos conduzindo a um comportamento mais sedentário. Por exemplo, a insegurança nas ruas impede que as pessoas andem a pé e faz com que as crianças brinquem mais no computador, dentro dos apartamentos, porque é mais seguro. É claro que esses argumentos são válidos, mas será que não estamos nos apoiando neles para manter uma atitude mais sedentária e confortável? Mesmo em lugares onde as pessoas moram perto de shoppings, bancos e escolas, elas acabam fazendo tudo de carro. Até que ponto falamos de insegurança e até que ponto preferimos o conforto? Se o problema é segurança, por que não usamos as escadas em vez dos elevadores e escadas rolantes em shoppings e prédios? Por que preferimos chamar um colega de trabalho que está a alguns metros de nós pelo telefone em vez de caminharmos até ele? Muitos dirão, para ganhar tempo... então dizemos: ganhar tempo e perder saúde!

Podemos optar pelo conforto, mas deve-se ter consciência do custo que isso representa em contrapartida. Precisamos comer menos e melhor, gastar mais energia nas academias e clubes, onde nos sentimos mais seguros, pois do contrário o balanço energético só pode ser positivo: gastar menos, consumir mais = engordar.

ALGUMAS DICAS PRÁTICAS

- Tente fazer seu dia mais ativo: sempre que possível, use escadas e caminhe mais.
- Faça exercícios regularmente. Isso tem de ser uma prioridade, é questão de saúde.
- Consuma mais alimentos integrais e frescos; evite os industrializados.
- Coma menos e NUNCA repita. Sirva-se apenas uma vez. Se estiver gostoso, lembre-se: esse alimento continuará existindo. Você não precisa comer dessa vez como se fosse a última.

DIETAS DA MODA

As dietas da moda são anualmente lançadas com a proposta de resolver a obesidade. O que se pode concluir é que elas não funcionam. A constatação é simples: todos os indivíduos acima do peso já fizeram pelo menos uma dieta e continuam como estavam ou pioram. Isso significa que o estudo pormenorizado da ingestão alimentar, da prática regular de atividade física, do estado emocional e da presença de doenças determinantes da obesidade é fundamental para o sucesso do emagrecimento. A busca incondicional pelo baixo peso ou corpo ideal resulta em alterações do comportamento alimentar, desvios da imagem corporal (a pessoa se vê mais gorda do que efetivamente é) e eleva o risco de distúrbios alimentares, que possuem consequências bastante sérias.

A seguir, discutiremos um pouco algumas das muitas dietas da moda. Não é nossa pretensão fazer uma avaliação minuciosa de tais dietas, mas sim levantar os pontos positivos e negativos que elas apresentam.

DIETA DA PROTEÍNA

Autor: Robert Coleman Atkins

Como funciona: elimina-se o consumo de alimentos fontes de carboidratos (massas, pães, frutas) e permite livre acesso aos alimentos ricos em gorduras e proteínas, como carnes, bacon, ovos, leite e queijos de todos os tipos. O consumo de folhas é permitido. Frutas e leguminosas (feijão, lentilha etc.), não.

Quanto diz emagrecer: 4 kg por semana.

Pontos negativos: estimula o consumo exagerado de gorduras e proteínas, o que é bem estabelecido na literatura, provoca o aumento de lipoproteína de muito baixa densidade (*very low density lipoprotein* – colesterol VLDL) e lipoproteína de baixa intensidade (*low density lipoprotein* – colesterol LDL), reduz o colesterol de alta densidade (HDL), conhecido como colesterol bom. Essas alterações estão intimamente ligadas às doenças cardiovasculares. Se feita por longo prazo, pode sobrecarregar o rim pela degradação proteica elevada, além de promover aumento da atividade hepática na síntese de corpos cetônicos (responsáveis pelo mau hálito quando acordamos) e na neoglicogênese (síntese de glicose), que tem como precursores as proteínas estruturais.

Efeitos indesejados: a restrição severa de carboidratos compromete o estado de humor. Pessoas ativas apresentarão menor tolerância à prática de atividades físicas. Pela redução glicêmica, é frequente a queixa de cefaleia. Com a perda de massa muscular e água, é comum sentir fraqueza e tonturas. Além disso, também é bastante comum o relato de flacidez e falta de energia para a prática de atividades físicas, provavelmente pela perda de massa magra. Os odores produzidos pela cetose apresentam comprometimento social.

Ao voltar à alimentação normal, é comum o incremento do peso acima dos valores perdidos. Essa resposta acontece pelo aumento do conteúdo de carboidrato (glicogênio) muscular e hepático que é armazenado com água (1 g de glicogênio é estocado com 2,7 g de água). Com a restrição de consumo de carboidratos, os mecanismos de aumento nas reservas de glicogênio são estimulados e o conteúdo desse estoque pode elevar-se em uma vez a uma vez e meia.

Comentários: a restrição severa de carboidratos provoca redução do peso em consequência da perda de água e carboidratos dos músculos e do fígado. Causa odor característico, chamado de cetótico, que é o produto da queima incompleta da gordura. O resultado é a perda de massa magra e, muitas vezes, o aumento ou a manutenção de massa gorda. Pode-se chamar de dieta paradoxal, pois a maior parte do peso perdido é de massa magra, engordando o adepto da dieta por causa do aumento do percentual de gordura.

Autor: Arthur Agatston

Como funciona: é uma revisão, em três fases, da dieta do Dr. Atkins. Na primeira, de duas semanas, os carboidratos são reduzidos drasticamente. Entram apenas as leguminosas, como feijão, soja, lentilha e ervilha. As carnes indicadas são as magras. Laticínios e pequenas porções de oleaginosas são permitidos. Na segunda fase, frutas e carboidratos integrais passam a fazer parte do cardápio. A terceira é dedicada à manutenção.

Quanto diz emagrecer: de 3 a 6 kg em 15 dias (primeira fase). Na segunda fase, cerca de 1 kg por semana.

Pontos negativos: seus defensores dizem que dificilmente causará alguma deficiência nutricional, porque permite a ingestão de alimentos integrais, verduras e frutas a partir da terceira semana. O problema é que somente isso não atende à necessidade plena de nutrientes do organismo. A ausência de fibras nas primeiras semanas pode levar ao mau funcionamento do intestino.

Efeitos indesejados: tem como meta a perda de peso e favorece a perda de massa magra. Como toda restrição pontual, afeta o equilíbrio nutricional. A restrição de carboidratos apresenta efeitos indesejados, como cefaleia e alterações do humor, pois a glicose é o nutriente principal do sistema nervoso central. Além disso, é indicado, em caso de exagero na terceira fase, voltar para a primeira fase. Esse tipo de comportamento compensatório é ruim, pois cria uma relação de culpa em relação aos alimentos. Tal fato pode favorecer o aparecimento dos distúrbios alimentares. Os mecanismos compensatórios são indesejados.

Comentários: semelhante à dieta de Atkins, elege os carboidratos como responsáveis pela obesidade. Classicamente, reduz o peso pela perda de massa magra. Pela severidade, compromete as reservas de carboidratos e água, o que pode resultar em incapacidade de realização de esforços. Para pessoas ativas é tão prejudicial como a de Atkins.

Autor: desconhecido. A Universidade de São Paulo não reconhece a autoria.

Como funciona: são três refeições por dia, com um cardápio preestabelecido.

Quanto diz emagrecer: 14 kg em 14 dias.

Pontos negativos: também conhecida como dieta do ovo, pois indica a ingestão de nove ovos por semana. Não permite o consumo de carboidratos. Permite apenas três refeições por dia, quando a recomendação é o fracionamento do consumo alimentar em seis refeições diárias, de acordo com o tempo de vigília do indivíduo. As quantias são irrisórias, o que representa uma ingestão bastante restritiva.

Efeitos indesejados: o cardápio é desumano, tornando essas duas semanas quase impossíveis de serem completadas, o que pode diminuir a autoestima de quem tentar segui-la. A quantidade de ovos aumenta o colesterol LDL e pode levar a complicações cardiovasculares importantes. A restrição de carboidratos diminui a massa muscular e propicia aumento das concentrações de cortisol. Ao retornar à alimentação normal, o indivíduo terá proporcionalmente menos massa muscular e, consequentemente, menor capacidade de oxidação de gordura. Indivíduos ativos submetidos a esse padrão alimentar tendem a ter desconforto e crises hipoglicêmicas com certa frequência.

Comentário: o ponto crítico, além dos já comentados nas dietas anteriores, reside no fato de manter poucas refeições ao dia. Esse fato estimula a produção de gordura no organismo, processo conhecido como lipogênese. Assim, ocorrerá perda de peso basicamente pela perda de massa magra e elevação acentuada de gordura. Embora pareça paradoxal, o jejum engorda, uma vez que aumenta a capacidade do organismo em armazenar o que será ingerido na próxima refeição.

DIETA ORNISH

Autor: Dean Ornish

Como funciona: dieta para ovolactovegetarianos, ou seja, sem carnes, mas com ovos, leite e derivados. A base do cardápio são os carboidratos e as fibras. Nessa dieta, as gorduras são arqui-inimigas e consideradas restringidas a 10% do valor calórico diário. Em compensação, não há restrição de porções.

Quanto diz emagrecer: não informa.

Pontos negativos: é radical abolir totalmente as carnes. O índice de gordura é muito reduzido e o consumo deve ser cuidadosamente organizado para garantir a ingestão de ácidos graxos essenciais (gorduras essenciais).

Efeitos indesejados: a restrição de gordura é uma estratégia interessante, porém a ingestão de ácidos graxos essenciais (linoleico e linolênico) é fundamental para manter a atividade do sistema imune e a integridade da pele, dentre outras funções. As gorduras transportam vitaminas (A, D e E), ajudam a manter a temperatura do corpo, protegem os órgãos e fazem parte da composição de enzimas e substâncias do sistema imunológico. Reduzir muito sua ingestão pode comprometer o funcionamento do corpo.

Comentário: a pandemia da obesidade é detectada por vários organismos mundiais como consequência da vida sedentária e do aumento da ingestão de gordura. Esse tipo de dieta ataca esse ponto com severidade. O problema é que restringir a ingestão de gordura por muito tempo reduz a resposta imune e aumenta a sensibilidade a doenças. Outro ponto a ser considerado é que a ingestão de proteína tem sua quantidade bem estabelecida e a qualidade é essencial. O primeiro sinal de desnutrição devida à baixa ingestão proteica é o edema, marcado pela perda de controle de água entre o sistema circulatório e o meio interno. Na forma crônica da doença, tecidos e órgãos podem ser mais gravemente afetados.

Autor: Judy Mazel

Como funciona: segundo o autor, as enzimas presentes nas frutas acelerariam a queima de grandes depósitos de gordura (o que não é comprovado cientificamente). Proíbe a mistura de alimentos ricos em proteínas e carboidratos nas refeições. Nos dez primeiros dias, permite o consumo de frutas à vontade. A partir do 11° dia, os alimentos que contêm carboidratos e gorduras passam a fazer parte do cardápio, e a ingestão de alimentos fontes de proteína só é liberada a partir do 19° dia.

Quanto diz emagrecer: não informa.

Pontos negativos: a dieta é desequilibrada, por determinar fontes específicas de carboidratos e restringir fontes de proteínas e gorduras. Não há ingestão adequada de vitaminas e de minerais.

Além disso, é difícil de ser cumprida. A restrição é extremamente severa e provoca cefaleia.

Efeitos indesejados: pode levar à carência de todos os tipos de nutrientes (proteínas, vitaminas A, D, E e K, sais minerais etc.), causando várias alterações metabólicas e a perda de tecido muscular. O resultado é irregular. Alguns indivíduos perdem peso porque liberam muita água pela urina; outros, não, provavelmente pela restrição proteica que pode desencadear o edema.

Comentários: a restrição severa da mistura de alimentos promove uma modificação acentuada na biota intestinal. Essas bactérias garantem a funcionalidade intestinal e gástrica. Estudos recentes relacionam tais modificações com o favorecimento de gastrites, úlceras, duodenites etc. Com esse tipo de manipulação alimentar, espera-se grande debilidade do indivíduo como um todo. Além disso, o comprometimento da biota intestinal prejudica o sistema imune.

DIETA DO TIPO SANGUÍNEO

Autor: Peter J. D'Adamo

Como funciona: segundo essa dieta, cada tipo sanguíneo tem um metabolismo, fruto da herança genética, e requer tipos diferentes de alimentos. Os indivíduos que têm sangue tipo O devem seguir dietas ricas em proteínas; os de tipo B devem priorizar os laticínios; os que têm sangue do tipo A seriam vegetarianos e seu cardápio priorizaria as fibras.

Quanto diz emagrecer: não informa.

Pontos negativos: é restritiva e não há embasamento científico.

Efeitos indesejados: A restrição de laticínios para mulheres, por exemplo, compromete a ingestão de cálcio, o que predispõe a doenças decorrentes da falta desse nutriente, como perda de massas muscular e óssea, favorecendo a osteopenia e a osteoporose. A restrição ao consumo de carnes pode desencadear carência de ferro e vitamina B12 em mulheres, gestantes e indivíduos ativos. A ingestão exagerada de fibras pode comprometer a absorção de determinados nutrientes e alterar de forma significativa a funcionalidade intestinal.

Comentários: não possui fundamento científico, tampouco filosófico. Parte de dois princípios questionáveis na história da humanidade: o de que o hominídeo seria um grande caçador e detentor do tipo sanguíneo O. O hominídeo, segundo a literatura, era carniceiro. O segundo ponto a ser considerado com relação à tipagem sanguínea é que o conhecimento sobre esta é muito recente e seria impossível definir qual era o tipo sanguíneo existente 2.000 anos antes de Cristo.

Determinar a quantidade de alimentos a serem ingeridos de acordo com o tipo sanguíneo é inconcebível, pois os alimentos, após a digestão, são igualmente absorvidos como nutrientes. Assim, o açúcar oriundo do pão, da batata ou da mandioca gera somente glicose na circulação sanguínea.

De forma geral, independentemente do tipo sanguíneo, a dieta promove restrição energética e grandes deficiências nutricionais, que variam da falta de vitaminas até falta de proteína. Pessoas ativas terão grande grau de debilidade pelas carências nutricionais provocadas.

ALGUMAS DICAS PRÁTICAS

- Fuja das receitas mágicas que prometem rápida perda de peso. Você não ganhou peso de forma mágica e rápida. Além de não serem saudáveis, tais dietas são insustentáveis em longo prazo.
- Quando for procurar uma forma de emagrecer ou perder gordura corporal, procure profissionais que possam fazer uma avaliação da sua composição corporal, das suas necessidades nutricionais e adequar sua rotina alimentar e sua prática de atividade física, para que você alcance seus objetivos de forma saudável e sustentável.
- Lembre-se: emagrecer é tornar-se magro, não leve. Podemos emagrecer ganhando peso (elevando o peso magro e preservando o peso gordo), mantendo o peso (o peso magro ganhado é igual ao peso gordo perdido) e, finalmente, podemos emagrecer perdendo peso (o peso magro se mantém e o peso gordo se reduz).

O NÚMERO DA ROUPA É MAIS IMPORTANTE QUE O PESO NA BALANÇA

A briga com a balança parece inglória. Começamos a fazer atividade física, controlamos a alimentação e o peso sobe. Esse resultado deixa a sensação de derrota antes mesmo "do jogo começar".

Nosso peso corporal representa diversos órgãos e tecidos do organismo que resultam em nossa massa corporal, o que popularmente chamamos de peso. O organismo é formado basicamente por água (60% do nosso corpo é água). Assim, variações na quantidade de água corporal provocam alteração do peso.

O fato é que por muitos anos todos nós nos controlamos pela balança, sem observar se estamos mais ou menos hidratados. Uma situação típica: quando suamos, por exemplo, no verão ou após a sauna, nosso peso se reduz. O que perdemos efetivamente nessas situações foi água. Esta, por sua vez, deverá ser reposta. A perda ou o ganho de peso, a curto prazo, deve ser encarado como flutuação da nossa hidratação e não da perda ou do ganho de gordura. Aquela variação de 1 a 2 kg que todos temos no final de semana não é de gordura, e sim de retenção de líquido. Para entender o porquê disso precisaremos de alguns conceitos de nutrição para compreendermos a relação entre calorias e peso.

Um grama de gordura fornece 9 kcal, enquanto 1 g de água não fornece calorias. Para ilustrar, temos a seguir o desenho de um peso que representa 1 g. Dentro do peso temos pontos e cada ponto representa uma caloria. Podemos observar, então, que a mesma quantidade de água e gordura (1 g) nos fornece quantidades diferentes de calorias.

GORDURA
9 kcal/g

ÁGUA
0 kcal/g

Assim, se aumentamos 1 kg na balança no fim de semana e acreditamos que engordamos 1 kg, ou seja, 1.000 gramas, teremos 9.000 calorias, o que representa uma quantidade muito grande de energia para consumir em pouco tempo. Vale lembrar que nesse caso será preciso ingerir 9.000 calorias além da necessidade calórica diária, isto é, se sua necessidade diária é de 2.000 calorias, você precisará ingerir 11.000 calorias. Só para ilustrar, 1 litro de óleo de cozinha tem 9.000 calorias. Neste ponto, precisamos lembrar de outro conceito importante: engordar significa ganhar gordura, e não necessariamente ganhar peso na balança. É preciso entender que, quando nos pesamos, estamos pesando vários tecidos e não apenas gordura. Podemos engordar sem ganhar peso na balança se, por alguma razão, perdemos massa muscular, porque ficamos sem atividade física ou por alguma doença, por exemplo. Nesse caso, nosso peso pode reduzir por perda de massa magra ou desidratação, mas a massa gorda pode ter aumentado ou ter ficado a mesma, e assim estamos mais gordos mesmo com menor peso. Pense, por exemplo, em um indivíduo que pesa 70 kg e tem 25% de gordura, ou seja, 17,5 kg de gordura. Após o período que provocou a perda de 2 kg de massa muscular e manutenção da gordura, ele passa a pesar 68 kg, porém os 17,5 kg de gordura representam 26,2% do peso corporal total. Nesse caso, o indivíduo perdeu peso e engordou, pois passou a ter maior percentual de gordura corporal.

Várias são as razões que promovem ganho de água corporal e, como consequência, peso. Vamos considerar que uma pessoa qualquer controle sua alimentação ao longo da semana e, no final de semana, consuma vinho ou outra bebida alcoólica qualquer. A bebida alcoólica promove, no ato do consumo, perda de água em grande quantidade, por estimular a produção de urina. A resposta do organismo, após essa ação aguda, será reter mais água no organismo, o chamado "inchaço". Esse fato promove alteração de peso, porém não significa que o indivíduo tenha engordado.

Cabe lembrar um ponto importante. A gordura corporal, que tanto incomoda, não se mistura com a água. É como tentar dissolver manteiga em um copo d'água. Assim, mesmo tendo mais água no corpo e, consequentemente, mais peso, não engordamos, pois aumentamos o peso de massa magra, que é rica em água.

Se perder peso não significa emagrecer, o que é emagrecer? É tornar-se mais magro. O tecido magro tem cerca de 70% do seu peso em água; o gordo, aproximadamente 20%. Ou seja, o tecido magro tem mais água.

Quando retemos mais água? Quando comemos comidas mais salgadas em maior quantidade, como molho shoyu, queijos, carnes, conservas, molho inglês, ou quando adicionamos muito sal à comida. Por que o excesso de sódio provoca retenção de água? Os fluidos do nosso corpo possuem uma quantidade precisa de sal (especificamente, de sódio) e água. Para entendermos melhor, nossos fluidos apresentam uma solução de 0,9% de NaCl (cloreto de sódio). Se a concentração de cloreto de sódio é de 0,9% quando colocamos sal na comida, manteremos nossos fluidos com 0,9% de NaCl. Isso significa que para cada 900 mg de NaCl, teremos 100 mL a mais de água – 100 mL equivalem a 1/2 copo d'água. Assim, podemos concluir que a cada saquinho de 1 g de sal adicionado à comida nosso corpo adiciona 1/2 copo d'água no organismo. Você já se perguntou quanto sal sua comida possui? Alguns exemplos: um punhado de amêndoas salgadas (aproximadamente 20 g) possui 28 mg de sódio; uma fatia de queijo prato de 30 g contém 480 mg de sódio; uma colher de sopa de requeijão light tem 296 mg de sódio; um iogurte 0% de gordura de 180 g tem 81 mg de sódio; um copo de 200 mL de leite desnatado tem 143 mg de sódio. Poderíamos colocar aqui uma lista infinita de alimentos do nosso cotidiano que possuem sódio, cuja soma resulta em um consumo elevado. Os números citados mostram que facilmente se ingerem 5 g de sódio por dia, o que corresponde ao dobro do que é recomendado. Em um final de semana esse consumo alcança 7 ou até 10 gramas por dia, e com isso teremos 1 litro a mais de água por dia, ou 2 litros no final de semana. A balança registra isso e você logo pensa: engordei. Não, você reteve mais água pelo excesso de sal. E isso se confirma com a redução do peso ao longo da semana. Assim, podemos concluir que a balança não mede gordura, mas apenas a massa, que chamamos de peso. Para saber exatamente o que sua massa corporal representa, deve-se fazer uma avaliação de composição corporal, realizada por profissional treinado que poderá utilizar diversas técnicas como dobras cutâneas, DEXA (técnica de avaliação usada para estimar a densidade óssea e a gordura corporal), entre outras.

Como podemos saber se o que perdemos foi gordura ou não? A gordura, diferentemente dos tecidos magros, possui maior volume por peso. Isso significa que o mesmo peso de gordura e músculo representa volume maior de gordura do que o muscular. Isso ocorre pelo fato de terem densidades diferentes e, para ilustrar isso, basta lembrar que 1 gota de óleo em um copo de água boia, enquanto 1 pedaço de carne magra afunda. Quem nunca ouviu a seguinte afirmação: "músculo é mais pesado que a gordura"? Obviamente a frase está incorreta, porque peso é peso; nesse ponto, 1 kg de músculo não é diferente de 1 kg de gordura. Mas essa afirmativa se tornou popular justamente por conta da diferença de volume entre 1 kg de gordura e 1 kg de massa muscular. O que muda é a densidade de cada um. O correto seria dizer que a densidade de ambos é diferente.

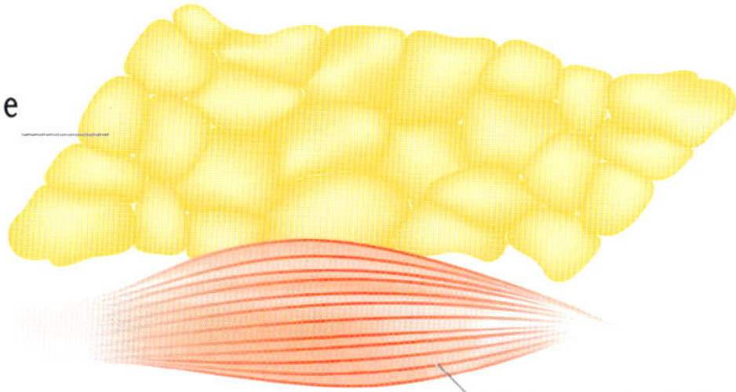

Portanto, uma forma simples de avaliar a perda de gordura é pela roupa. Você pode ter o mesmo peso, porém, se a roupa ficar mais larga, é um forte indicativo de perda de gordura. O inverso também é verdadeiro: se o peso fica estável mas a roupa aperta, há uma grande chance de se ter ganhado gordura e perdido massa muscular. Com isso, pode-se concluir que a busca inconsequente pelo peso ideal é pouco inteligente. Se você tiver dúvida sobre sua composição corporal, procure um profissional de saúde capacitado e solicite uma avaliação. Só assim você saberá o que ganhou e o que perdeu. Para comparação é importante manter o avaliador, a técnica, as equações de *estimativa* de gordura (pois só é possível medir a gordura de maneira exata por dissecção em cadáveres) e os equipamentos utilizados. Não vale tentar comparar sua avaliação com a de seu(sua) amigo(a) que também a fez mas em outro local, usando outras fórmulas, mesmo que com a mesma técnica de dobras cutâneas.

ALGUMAS DICAS PRÁTICAS

Se o seu peso variar para mais, observe:

- Houve maior consumo de alimentos salgados? Se isso ocorreu, a melhor forma de retirar o excesso de sal consumido é ingerindo água com regularidade, não em grande volume. Um copo por hora, por oito a dez horas, é uma boa medida. A outra é por meio da atividade física, pois parte desse sal é transpirado.

- A roupa apertou em regiões que você não exercitou? Por exemplo, você fez caminhada por uma semana e a roupa apertou nos braços? Isso pode ser um sinal de ganho de gordura corporal. Reavalie o consumo alimentar nesse período e verifique se ocorreu maior consumo de alimentos ricos em gordura, como carnes, queijos, frituras etc.

- Acabou de iniciar um programa de atividade física com exercícios aeróbios associados a exercícios de peso, conhecidos popularmente como musculação? A variação positiva de peso pode ocorrer, pois a perda de gordura em indivíduos sedentários é mais lenta que o ganho de massa muscular no início do programa. Esse comportamento se inverte com a continuidade do programa, em que a perda de gordura ganha maior velocidade à medida que se fica mais treinado e o ganho de massa muscular evolui mais lentamente.

- Iniciou o consumo de algum medicamento? Converse com seu médico e leia a bula para ver se os componentes do remédio promovem retenção de água (hídrica). Se esse for o caso, lembre-se que a melhor eliminação de água acontece pelo seu consumo regular. Evite consumo exagerado de água em pouco tempo (beber muita água em pouco tempo não é suficiente para hidratar-se; o correto é beber água de forma distribuída ao longo do dia). E observe a ingestão de sal, evitando adicionar o ingrediente ao alimento pronto para o consumo.

ATIVIDADE FÍSICA

Toda vez que queremos emagrecer, começamos um programa de atividade física. Mas a dúvida é: qual atividade física é melhor para emagrecer? Essa questão é muito importante e muitas vezes a falta desse conhecimento faz com que as pessoas comecem um programa de exercícios e, por não sentirem resultado, acabam desistindo.

É importante entender que toda atividade física promove gasto calórico. No entanto, tal gasto de energia pode ser proveniente da "queima" de carboidratos (estocados no músculo e no fígado na forma de glicogênio), gordura (o substrato energético que temos em maior estoque no organismo) ou proteína (não temos estoque, uma vez que toda proteína que se encontra no organismo exerce alguma função).

O que vai definir de onde virá a energia para a atividade física, isto é, qual substrato energético será "queimado" e em que quantidade, dependerá de várias razões:

- Intensidade do esforço físico.
- Duração do esforço.
- Nível de treinamento físico.

Para tentar entender, vamos imaginar como ocorre a produção de energia durante a atividade física. Normalmente, o músculo que está sendo exercitado precisa de energia para que o processo de contração muscular ocorra. Quanto mais intenso o exercício físico (por exemplo, corrida de 100 m), mais rápido o músculo exigido vai se contrair, o que significa que ele precisa utilizar como fonte energética o substrato que pode fornecer energia de forma mais rápida. Assim, o tecido muscular utilizará o estoque de carboidrato (glicogênio muscular) que está localizado no próprio músculo. Nesse caso, a gordura é ineficiente para atender à necessidade de energia de forma rápida para esse tecido. Isto porque os estoques de gordura não estão no músculo, o que significa que, para ser queimada, a gordura primeiro tem que ser mobilizada do seu estoque, depois ela precisa ser transportada até o tecido muscular que precisa dela. No tecido muscular, ela precisa ser quebrada em pequenas moléculas para então poder ser queimada e fornecer energia. Todo esse processo, que na verdade é bem mais complexo, leva tempo para ocorrer. Quando o exercício é intenso, isto é, a contração muscular é rápida, não há tempo para utilizar gordura como fonte de energia. Então, quanto maior a intensidade do exercício, menor a queima de gordura durante o exercício. Por que exercícios tão intensos como *squash* apresentam um gasto calórico tão alto? De fato, atividades intensas gastam bastante caloria. O único problema para quem quer emagrecer é que, como explicamos, essas calorias não vêm da gordura e sim dos carboidratos. Nesse tipo de atividade física, chamada de intermitente (e aqui entram grande parte das modalidades esportivas), o organismo queima gordura durante o processo de recuperação, entre um chute e outro no futebol, ou uma cesta no basquete. Mas a principal fonte de energia não é a gordura.

As atividades que mais queimam gordura são as chamadas de aeróbias. Esse nome se dá porque, durante o processo de fornecimento de energia para essas atividades com queima de gordura, é preciso oxigênio. Alguns exemplos são caminhada, corrida, bicicleta e natação. É importante observar que a atividade escolhida, por si só, não garante uma queima de gordura eficiente. Isso vai depender também da intensidade na qual a atividade é executada. Uma corrida, por exemplo, pode ser de alta intensidade e curta duração – 100 ou 400 metros – ou de baixa intensidade e longa duração – 5 ou 10 quilômetros. Vale lembrar que o nível de condicionamento e a capacidade de se exercitar é muito individual. Por isso, sair para caminhar com um amigo ou correr com um colega pode não ser o ideal. O exercício pode estar muito difícil para um e muito fácil para o outro, o que pode dificultar o alcance dos objetivos.

Para saber exatamente em qual intensidade você deve se exercitar para queimar mais gordura, o ideal é que faça um teste ergoespirométrico, diferente do ergométrico. Este último normalmente é pedido em academias quando se inicia um programa de atividade física, para verificar se a pessoa pode fazer exercícios, se não tem nenhum problema cardíaco etc. O primeiro, com nome mais complicado, também tem a função de avaliar risco cardiovascular, no entanto, é mais completo e fornece informações muito importantes quanto à intensidade em que o exercício deve ser feito para maximizar os resultados.

Um erro bastante comum para quem começa um programa de atividade física porque quer emagrecer é começar a fazer de forma regular apenas exercícios contrarresistência, conhecidos como musculação, e deixar de lado o exercício aeróbio. Isso ocorre por várias razões: o exercício aeróbio é muito mais monótono do que a chamada musculação; as pessoas muitas vezes contratam um *personal trainer* para a musculação, mas não para a esteira, afinal, não precisam de alguém ao lado delas enquanto correm ou caminham. Para tentar resolver essa falta do treinamento aeróbio, seja por chatice, seja por falta de disciplina, as pessoas começam a mesclar treinos de musculação com aeróbio nos chamados circuitos. Entretanto, é equivocado supor que o circuito substitui o exercício aeróbio só porque a frequência cardíaca sobe nessa atividade. Esta pode subir por vários motivos, o que não significa que você esteja queimando mais gordura. Por exemplo, quando você se assusta, seu batimento aumenta e você não queima mais gordura com o susto, certo? No circuito, o batimento cardíaco aumenta porque a todo instante promovemos uma alteração do músculo exercitado, desencadeando novos processos de adaptação ao exercício. É como se estivéssemos começando a atividade a cada novo exercício. O circuito não substitui o exercício aeróbio, não é a mesma coisa e vai ajudar muito pouco no emagrecimento se você não começar uma atividade aeróbia. O circuito pode, sim, ser um programa inicial para adaptação ao programa de treinamento com pesos.

Muitas vezes é difícil começar tudo ao mesmo tempo: reeducação alimentar, exercício aeróbio e trabalho de fortalecimento muscular. Por isso, um profissional da área é muito importante: ele poderá definir com você quais serão suas prioridades. Se não der para começar tudo e sua prioridade é emagrecer, comece caminhando; se for ganhar massa muscular, comece com o fortalecimento muscular. Pode não ser a situação ideal, mas se ficarmos esperando o momento no qual possamos fazer tudo perfeitamente, nunca faremos nada.

Antes de começar uma atividade física, é sempre fundamental procurar um profissional de educação física que possa fazer a avaliação de sua composição corporal e montar seu treino de forma adequada para sua condição e seus objetivos. Isso se faz necessário porque a capacidade de adaptação do nosso organismo é muito alta. O que funciona hoje para ganhar massa muscular ou emagrecer, não vai funcionar após algum tempo e se você tentar ajustar seu treino sozinho pode acabar se machucando. De fato, as pessoas se lesionam muito por praticar atividades físicas de forma errada e também porque têm pressa em alcançar resultados, o que as leva, muitas vezes, a sobrecarregar seu aparato motor ao pular etapas importantes de adaptação. Também é importante dar tempo para que o profissional da área de atividade física faça o trabalho adequado. Muitas vezes é preciso começar com o fortalecimento muscular antes de caminhar ou nadar, para evitar lesões. A dificuldade é a pressa e a impaciência dos alunos, que muitas vezes querem reverter anos de sedentarismo em algumas semanas.

Nosso organismo é muito adaptável; quando se começa um programa para emagrecer, perde-se bastante peso no início, mas os últimos quilinhos parecem não ir embora nunca. Isso ocorre por uma adaptação do nosso organismo aos estímulos que damos. Assim, é fundamental aumentar o estímulo, isto é, a duração ou a intensidade do treinamento, sempre de forma a romper o equilíbrio do organismo e estimular suas adaptações. Treinar sempre da mesma forma, com os mesmos exercícios, ou na mesma intensidade, não é eficiente.

ALGUMAS DICAS PRÁTICAS

- Não podemos jogar futebol, tênis ou vôlei e achar que já fizemos nossa atividade aeróbia. Estas atividades NÃO substituem o exercício aeróbio.
- Não se engane. Circuito não é exercício aeróbio e, se seu objetivo é emagrecer, você precisa de uma atividade regular, trabalhando os mesmos grupos musculares por período constante, como caminhar, nadar, pedalar.
- Procure um bom profissional para orientar seus treinos e não o apresse; deixe que ele evolua seu treino de forma consciente e segura, evitando lesões que podem deixá-lo parado por muito tempo, prejudicando seu objetivo.

PEQUENOS ERROS QUE ATRAPALHAM O EMAGRECIMENTO

Uma das práticas mais comuns de quem quer emagrecer é retirar os carboidratos da dieta e comer o famoso grelhado com salada.

É preciso entender e deixar de lado essa preocupação excessiva com o consumo de carboidratos porque, na maioria das vezes, quando fazemos uma refeição sem carboidrato, como a citada no parágrafo anterior, a quantidade de gordura que ingerimos é muito maior do que se fizéssemos uma alimentação equilibrada com carboidrato. Observe o exemplo a seguir:

Preparações	Peso	Kcal	Gordura (g)
Arroz integral	3 colheres de sopa (60 g)		
Feijão	1 concha pequena (60 g)		
Salada de alface	1 prato pequeno	300	11
Azeite de oliva	2 colheres de chá (5 g)		
Bife bovino pequeno	50 g		

x

Preparações	Peso	Kcal	Gordura (g)
Bife bovino grande	100 g		
Salada de alface	1 prato pequeno	304	21
Azeite de oliva	2 colheres de chá (5 g)		

Esse exemplo ilustra como nos enganamos com o consumo de alimentos. Hoje, é muito comum as pessoas evitarem carboidratos no jantar com receio de que, durante a noite, esse carboidrato vire gordura. Assim, trocam o prato de arroz com feijão, como o citado anteriormente, por grelhado com salada. Se olharmos novamente o quadro, veremos que a quantidade de gordura consumida no grelhado é muito maior do que no arroz com feijão, ou seja, as pessoas deixam de comer carboidrato no jantar com medo que esse vire gordura e acabam consumindo a própria gordura.

Não há motivos para a preocupação exagerada com o consumo de carboidratos à noite quando se tem uma alimentação equilibrada, bem distribuída ao longo do dia e caloricamente adequada. Não há problema quanto ao horário do dia em que se consome cada alimento. Nosso estômago, intestino etc. não funcionam de forma diferente de acordo com a hora do dia ou da noite. O importante é ter uma média do gasto calórico no dia todo e, então, distribuir esse consumo. Também não se deve querer ajustar o consumo calórico dia a dia, isto é, se hoje você faz ginástica, come mais; se não faz, come menos. Esses cálculos, além de serem cansativos, não garantem uma ingestão adequada ao gasto. Outro problema é aquele famoso pensamento: "ah, hoje eu treinei, então posso comer mais". Por esse motivo muitas pessoas não emagrecem, mesmo fazendo atividade física, e acabam tendo comportamento compensatório, de recompensa e permissão.

Nossa alimentação deve ser equilibrada e balanceada na maioria dos dias da semana, não em todos. É importante se permitir "sair da dieta", consumir o que se tem vontade sem se preocupar com calorias e gorduras. No entanto, esse comportamento deve ser a exceção e não a regra. O problema é que vivemos de forma tão estressante e corrida que todos os dias somos capazes de encontrar um bom motivo para sair da dieta (por exemplo, estresse, datas comemorativas, comer como forma de se recompensar por algo etc). Para entender como deve ser uma alimentação equilibrada e como devemos montar nosso prato sem ficar com fome, precisamos compreender um pouco como os alimentos fornecem calorias.

Um grama de gordura fornece 9 calorias; 1 grama de carboidrato e 1 grama de proteína fornecem 4 calorias cada; enquanto 1 grama de álcool fornece 7 calorias e 1 grama de água não fornece calorias. Para ilustrar, temos a seguir o desenho de um peso que representa 1 grama. Dentro do peso, temos pontos e cada ponto representa uma caloria. Podemos observar, então, que a mesma quantidade de cada nutriente (1 grama) fornece quantidades diferentes de calorias.

Por isso, muitas vezes comemos pouco e mal, e quando trocamos os alimentos mais gordurosos por alimentos com menor teor de gordura, o volume de comida aumenta.

Gordura 9 kcal/g | Carboidrato 4 kcal/g | Proteína 4 kcal/g | Álcool 7 kcal/g | Água 0 kcal/g

QUICHE X MASSA

Preparações	Quantidade	Kcal	Gordura (g)
Quiche de queijo	1 unidade média	357	22,2
Salada de folhas	1 prato pequeno		
Azeite de oliva	2 colheres de chá (5g)		

X

Preparações	Quantidade	Kcal	Gordura (g)
Macarrão integral cozido	160 g (1 copo de requeijão) ou 80 g da massa crua	250	7,14
Molho de tomate	1 concha pequena (60 g)		
Salada de alface	1 prato pequeno		
Azeite de oliva	2 colheres de chá (5 g)		

SALADA X NHOQUE

Preparações	Quantidade	Kcal	Gordura (g)
Salada Ceasar com peito de frango	1 prato médio/ comercial	329,1	16,44

X

Preparações	Quantidade	Kcal	Gordura (g)
Nhoque de batata	4 colheres de sopa (120 g)	213,39	3,58
Molho de tomate	1 concha pequena (60 g)		

SANDUÍCHE DE ATUM X SANDUÍCHE DE QUEIJO BRANCO E PEITO DE PERU

Preparações	Quantidade	Kcal	Gordura (g)
Pão integral comum (sem ser light)	2 fatias	218,91	3,65
Atum enlatado em água	3 colheres de sopa rasas (60 g)		
Creme de ricota	1 colher de sopa (20 g)		

X

Preparações	Quantidade	Kcal	Gordura (g)
Pão integral comum (sem ser light)	2 fatias	333,43	13,77
Queijo branco	2 fatias médias (60 g)		
Peito de peru	3 fatias finas (45 g)		

COMPARAÇÕES ENTRE VÁRIOS TIPOS DE BEBIDA ALCOÓLICA

Bebidas	Volume	Kcal	Gordura
Cerveja	200 mL	100	0
Aguardente	35 mL	100	0
Saquê	125 mL	100	0
Vinho tinto seco	140 mL	100	0
Vodca	40 mL	100	0

ALGUMAS DICAS PRÁTICAS

- Não corte um nutriente da dieta; reduza as porções e coma de tudo.
- As porções de carnes, mesmo magras, devem compor a menor parte do prato.
- Cuidado com a quantidade de azeite na salada. Normalmente, quem procura emagrecer é orientado a comer grande quantidade de salada, mas se estiver encharcada de azeite, também será fonte de gordura.
- Não faça ajustes diários na sua alimentação; faça uma média de sua necessidade diária com base em suas atividades semanais.

- Cuidado para não compensar o que gastou a mais de calorias na academia no restaurante.
- Se você saiu da dieta no almoço, não precisa "jogar o dia inteiro fora"; retome sua dieta na próxima refeição.
- Não olhe apenas o teor calórico nas embalagens de alimentos, olhe também a quantidade de gordura.

POR QUE AS DIETAS NÃO EMAGRECEM?

Em algum momento da vida, todos já ficaram insatisfeitos com seu corpo ou já fizeram algum tipo de dieta. Entre tantas, porém, qual a melhor? De forma bastante simples podemos afirmar: nenhuma. Essa visão pode parecer radical para alguns, no entanto, ela se baseia no simples fato de que todo indivíduo acima do peso ou obeso já fez pelo menos uma dieta ao longo da vida, então, se as dietas funcionassem, seria de se esperar que não houvesse mais pessoas acima do peso ou obesas. Nossa alimentação é baseada em aspectos culturais, sociais, emocionais e biológicos. Assim, ao impormos a restrição de determinados alimentos ou grupos de alimentos, estamos desprezando esse conjunto de fatores. Cada pessoa que engorda apresenta fatores pessoais determinantes para esse ganho de peso.

Pelas consequências não só do importante agravo à saúde decorrente da obesidade, mas também da urgência que as pessoas têm de emagrecer, diversas soluções imediatistas são adotadas. Os apelos são sempre os mesmos: “perca X quilos em X dias”. De fato, a perda de peso pode ser um alento para quem está com sobrepeso, porém pode não significar perda de gordura na mesma proporção da perda de peso. Dietas que promovem rápida redução de peso corporal, normalmente, são muito restritivas, difíceis de serem mantidas em longo prazo. Muitas vezes não atacam a causa do problema que levou ao ganho de peso, apenas geram uma grande restrição calórica que vai levar à redução deste, mas também ao sentimento de ansiedade pelo fim da dieta para se atingir o peso ideal. O grande problema é que ao “acabar” a dieta e retomar os padrões alimentares anteriores, a recuperação do peso é inevitável; sendo as causas para o ganho de peso variadas, as soluções também devem variar. Ingerimos alimentos por diversas razões: recompensa, ansiedade, tristeza, celebração, fome, entre outros; adotar uma dieta que eleja determinado grupo de alimentos como responsáveis pelo ganho de peso é, sem dúvida, uma abordagem por demais reducionista e que não enxerga a complexidade do ser humano.

Quem não se lembra de algum dia em que chegou em casa e teve o seguinte pensamento ao comer ou beber algo: “hoje eu mereço, tive um dia cheio, estou exausto(a)”. Esse pensamento é muito comum, a comida tem um papel recompensador importante em nossas vidas, desde a infância, e aqui cabe uma advertência aos pais: evitem usar alimentos como recompensa, do tipo “se você for bem na prova ganha um sorvete”, ou “se comer tudo ganha sobremesa”. Parece inofensivo, mas frases e atitudes como essas vão fazendo com que a criança associe conquistas com o prazer de comer, e o alimento vira uma recompensa e esse sentimento vai acompanhá-la pelo resto da vida. Momentos de frustração serão superados com consumo de doces ou outros alimentos que possam ser prazerosos. Temos o hábito de COMEmorar nossas conquistas sempre em volta de uma mesa; nossa relação com alimento é muito mais complexa e vai além de ter ou não disciplina, controlar ou não o que se come.

Por essa razão, a única maneira de emagrecer e se manter saudável é adotar hábitos saudáveis, passar por um processo de reeducação nutricional que não vai acabar, como acontece com uma dieta. Aprendendo a comer podemos nos alimentar bem em qualquer lugar – em casa, restaurantes, hotéis, durante uma viagem etc. Dessa forma, ninguém precisa se privar de sair para jantar ou negar um happy hour porque está de dieta. É possível manter uma vida normal quando se sabe comer. Sempre é possível fazer opções mais saudáveis e adequadas, basta saber como.

ALGUMAS DICAS PRÁTICAS

- Desenvolver cardápios mais saudáveis em casa, na escola, na empresa, de modo que a rotina alimentar mais saudável seja adotada logo nos primeiros anos de vida e passe a ser uma segunda natureza.
- Orientar o consumo alimentar familiar sendo a refeição um fim em si mesma e não em agentes acessórios, como TV, computador etc.
- Quando não for possível controlar a ingestão de alimentos de forma racional, procurar uma equipe multidisciplinar com apoio psicológico para evitar que o ato de comer assuma outro papel que não relacionado à alimentação e ao prazer que existe nesta ação por si só.
- Não procurar formas mágicas para emagrecer, elas funcionam por muito pouco tempo e o ganho de peso depois é normalmente maior que o perdido.
- Não tenha pressa para emagrecer, às vezes levamos 10 anos para ganhar 10 kg, cerca de 1 kg por ano, e quando decidimos emagrecer queremos perder 10 kg em um mês. Essa pressa nos leva a buscar soluções mágicas e pouco duradouras.

VIDA SOCIAL E ALIMENTAÇÃO

Para muitas pessoas a adoção de uma alimentação saudável parece ser um contrassenso ao convívio social normal. Está no inconsciente de muitos a necessidade de se fazer uma escolha irrevogável, como se ambas não pudessem conviver em harmonia. Ledo engano. Comer não representa apenas o fato de ingerir nutrientes a fim de atender as demandas biológicas do organismo; comer é, sobretudo, um momento de interação social, permeado por crenças, tabus, fatores culturais, distinções e cerimônias. A perda de qualquer um destes significados e funções representa um risco à saúde. Deve-se entender que o significado de saúde neste contexto não se limita ao seu sentido físico ou biológico, mas também psíquico. Ou seja, o comprometimento do estado saudável existe tanto para quem não se preocupa em atender as demandas biológicas de forma adequada (para além ou para aquém) quanto para aquele que deixa de lado sua interação social com o intuito, único e exclusivo, de cumprir com suas necessidades nutricionais.

A seleção dos alimentos consumidos em situações festivas é de suma importância. Portanto, nosso principal objetivo aqui é apresentar dicas e soluções práticas para que você consiga conciliar o convívio social a uma alimentação saudável e equilibrada. É perfeitamente possível matar a fome com uma preparação saborosa e, ao mesmo tempo, saudável. Então, vamos aos eventos!

HAPPY HOUR

Happy hour é normalmente um momento de descontração, de encontrar com os amigos e jogar conversa fora, de esquecer as preocupações e comemorar os bons acontecimentos. Enfim, é hora de relaxar! Mas este evento não deve ser uma desculpa para se esquecer por completo da saúde, bem como do cuidado e do zelo por nós mesmos. A atenção dada ao bem-estar físico deve ser tão prazerosa quanto encontrar uma pessoa querida. Lembre-se de zelar pelo seu melhor e inseparável amigo: você mesmo.

A grande vilã das opções oferecidas nos bares e restaurantes é a gordura presente nas frituras (batata e mandioca fritas, bolinhos, pastéis e outros), na maioria dos frios e nas porções de amendoins, azeitonas ou outros antepastos. Felizmente, a maior parte dos bares tem em seus cardápios opções mais adequadas do ponto de vista nutricional, mas muitas vezes elas passam despercebidas por estarmos tão condicionados ao que é mais trivial nessas ocasiões. Nessa hora é importante ter atitude: pegue o cardápio e procure por elas. Seguem abaixo algumas opções melhores que as usuais e fáceis de encontrar nos bares das principais cidades brasileiras:

• Sanduíche com filé de frango grelhado no pão francês (sem molhos ou maionese). Caso haja a possibilidade, insira folhas cruas (alface, rúcula ou qualquer outra de sua preferência).

• Carne e legumes na chapa com uma porção de pão (sem molhos ou maionese). Normalmente os bares e restaurantes exageram na quantidade de manteiga e/ou óleo utilizados nestas preparações, portanto, lembre-se de pedir para que o prato seja feito usando o mínimo possível destes.

• Espetinho de frango ou carne acompanhado de espetinhos de legumes (berinjela, abobrinha, pimentões, cenoura e outros). Estes últimos podem ser consumidos à vontade até que se sinta saciado. Contudo, lembre-se de não adicionar molhos, maionese, óleos, azeite ou muito sal. Quanto mais natural possível, melhor!

• Brusquetas de tomate, shitake, berinjela ou outros vegetais que mais gostar. Peça sempre para serem preparadas com pouco queijo e muito legume e evite adicionar mais azeite ou sal, pois normalmente eles já são utilizados no preparo.

• Beirutes ou sanduíches naturais de peito de peru ou de peito de frango, de preferência sem nenhuma maionese. Lembre-se de optar por queijo branco ao invés da muçarela ou até mesmo opte por não adicionar este ingrediente. Ao invés disso, capriche na quantidade de salada.

Evite o consumo exagerado de bebidas alcoólicas, que são fontes de calorias vazias; beba com moderação e intercale com o consumo de água, pois a bebida alcoólica promove maior diurese e aumenta a chance de desidratação. Como consequência desta ação diurética, o organismo pode reter líquidos. Lembre-se, ainda, que as bebidas destiladas possuem maior teor alcoólico e, portanto, maior valor calórico para o mesmo volume de líquido ingerido, cada grama de álcool fornece 7 kcal, o que quase equivale à quantidade calórica de um grama de gordura (9 kcal), e é mais do que um grama de carboidrato (4 kcal).

Aproveite para escolher um local que possua ao mesmo tempo um ambiente tranquilo, para conversar, e outro com boa música, para dançar. Assim, poderá intercalar ambas as atividades e queimar algumas calorias.

CINEMA

Ah! Como é bom sonhar, imaginar, rir, chorar e viver a história junto como os personagens! Mas fique atento para melhor usufruir desses momentos com frequência sem prejudicar a saúde.

Uma boa opção é levar o seu "kit cinema". Além de ser economicamente mais interessante, dados os preços elevados dos produtos alimentícios nesses locais, você pode preparar algo saudável e do seu gosto. Passe em uma loja de conveniência, ou em um supermercado, e monte o seu kit. Algumas boas combinações são:

• Um queijo processado light (na nova versão enriquecida com cálcio e fibras) e um pacote individual de biscoito salgado, integral e light (1 porção tem cerca de 100 kcal); ou

• Leve de casa um sanduíche natural feito com pão integral, peito de peru e/ou cottage light, sem maionese ou molhos, e com bastante salada; ou

• Passe antes em um café e compre um salgado, de preferência com a massa integral e assado. Este pode ser recheado de carne bovina magra, peito de frango desfiado, queijo cottage light, ricota ou verduras.

Essas opções ainda podem ser acompanhadas de uma fruta prática (banana, maçã, pera, nectarina, ameixa ou salada de frutas pronta) e uma bala ou chiclete sem adição de açúcar.

Mas, se para você cinema não é cinema se não houver pipoca, em vez de sofrer e tentar resistir ao saco gigante de pipoca amarela (de tanta manteiga) que seus amigos compraram, compre uma porção pequena sem a manteiga extra e com pouco sal. Acredite: elas possuem em seu preparo quantidades mais do que suficientes desses ingredientes.

Troque os refrigerantes, mesmos os sem açúcares, por chás gelados sem adição de açúcar. Assim, de alguma forma você estará evitando o consumo de bebidas muito ácidas e com grandes quantidades de conservantes.

PIZZARIAS

As pizzas podem ser bastante saudáveis, desde que você saiba escolher o recheio. Na realidade, a massa da pizza é uma boa fonte de carboidrato – nutriente essencial a uma alimentação equilibrada. Normalmente a grande vilã não é a massa, e sim a cobertura, pois em geral é rica em gorduras totais e saturadas, colesterol e calorias. Alguns exemplos de coberturas inadequadas são: a calabresa, o bacon, o presunto e os queijos amarelos. Abuse dos vegetais. Eles fornecem vitaminas, minerais e fibras, além de darem uma maior sensação de saciedade. Alguns exemplos comuns encontrados nas pizzas são: a escarola, o brócolis, a abobrinha, a rúcula, o milho e a ervilha. Dê também preferência para os alimentos fontes de proteínas mais magras como o peito de peru, o peito de frango desfiado, o atum, o queijo cottage e a ricota. Atualmente, as pizzarias estão oferecendo cada vez mais opções em seus cardápios, sendo muitas delas saudáveis. Procure experimentá-las. Entre as opções mais saudáveis e fáceis de encontrar nas pizzarias estão:

- Atum com cebola (sem queijo).
- Peito de frango desfiado com palmito e pouco queijo, ou trocando o queijo amarelo por ricota temperada.
- Vegetariana com pouco queijo, ou trocando o queijo amarelo por cottage ou ricota.
- Abobrinha com ricota temperada ou cottage.

Qualquer dessas opções você pode pedir com molho de tomate e temperos (como alho, cebola e ervas) à vontade. Assim ficarão mais úmidas e saborosas.

Evite a borda recheada e a adição de azeite ou vegetais conservados no óleo, como o tomate seco. Caso a pizzaria trabalhe com ingredientes como peito de peru, cottage ou ricota temperada, escolha um sabor que você goste, trocando os itens gordurosos (como os queijos amarelos) por uma dessas opções. Aproveite o "crie seu sabor" que muitas oferecem para montar opções mais saudáveis com vegetais e alimentos fontes de proteínas magras mencionados anteriormente.

Mesmo no processo de escolha de opções mais saudáveis, as pizzas devem ser a exceção, e não a regra. Dessa forma, elas devem ser consumidas com moderação, tanto na quantidade quanto na frequência. Portanto, dê preferência para o seu consumo na companhia de amigos e familiares e em ocasiões especiais. Evite-as durante a semana, se estiver sozinho ou como desculpa pela falta de tempo.

FESTAS DE CASAMENTO

Neste tipo de evento o problema começa já nos canapés e petiscos servidos como entrada. Evite frituras e empadas e folhados, pois estes, apesar de assados, contêm grande quantidade de manteiga. Assim, prefira aqueles menos gordurosos, como as esfihas.

Tente não ir à festa de estômago vazio, já que a técnica de não comer durante o dia todo para poder abusar na festa não é nada saudável. Na maioria das vezes, o jantar demora a ser servido e, por isso, há o exagero na ingestão de itens nutricionalmente inadequados. Mais adiante, a necessidade da alimentação antes de eventos desse gênero será abordada.

Caso seja servido jantar, abuse das saladas e procure escolher alternativas mais saudáveis. Por exemplo, se for servido algum tipo de massa, opte pelo molho ao sugo ao invés do quatro queijos ou do branco; caso tenha opções de carne, escolha a carne branca em vez da vermelha. Dê preferência a preparações como arroz, batata sauté, ou purê de batata acompanhado de um grelhado em detrimento de preparações com muita manteiga ou creme de leite, como risotos ou estrogonofe. Não exagere nos molhos que acompanham as saladas, carnes e massas, pois estes, no geral, são bastante gordurosos e calóricos.

Evite adições desnecessárias que irão aumentar ainda mais o teor total de gordura e calorias, como a batata palha, frituras, queijos gordurosos, óleos e azeite.

Evite os doces mais gordurosos, como aqueles preparados com chantilly e cremes. Se for comer o bolo, não exagere nos docinhos e vice-versa. Experimente, mas não abuse. Uma opção para tentar diminuir o exagero é levar o bem-casado para comer no dia seguinte. Aproveite para queimar calorias dançando.

Preste atenção para parar de comer quando estiver satisfeito, sem exagerar e sem ficar com a sensação de ter comido demais. Aproveite a festa para se divertir com amigos e familiares e para prestigiar os noivos, e não apenas para comer.

Lembre-se do que foi dito sobre a ingestão de bebidas alcoólicas, na seção de dicas para o happy hour. Evite-as ou as consuma com moderação, intercalando com a água. Afinal, as melhores coisas são: aproveitar a festa em boas condições até o último segundo e lembrar-se dos acontecimentos para dar muitas risadas mais tarde.

FESTAS DE CRIANÇA

Esta é uma situação bem complicada, pois, habitualmente, é servido um banquete de frituras, cachorro-quente, docinhos e bolo, ou seja, opções muito pouco saudáveis. A sugestão é que você troque o cachorro-quente e as frituras pelos salgados assados e pelo sanduíche de carne louca, quando houver essa possibilidade.

Caso esteja com fome, é importante que você identifique as opções mais saudáveis, por exemplo, os salgados assados – alguns locais já oferecem a opção de massa integral, e recheio de ricota ou de vegetais. Seja criterioso e cuidadoso em suas escolhas. Faça escolhas mais saudáveis e que agradem melhor o seu gosto, e saiba dizer "não, obrigado, estou esperando passar determinado prato". Não tenha vergonha, você estará cuidando da sua saúde e do seu bem-estar.

Conforme já mencionamos em seções anteriores, evite os refrigerantes e, quando possível, troque-os por água, sucos naturais ou chás gelados sem açúcar. Caso não resista, consuma com moderação e dê preferência para a versão sem adição de açúcar, mas não deixe de tomar água.

Aproveite para se divertir em todos os brinquedos permitidos para os "grandinhos"!

FESTAS DE FINAL DE ANO

As festas de Natal e Réveillon tradicionalmente são comemoradas com pessoas queridas e, por isso, nos remetem a momentos introspectivos, de valorização da família, dos amigos e das relações interpessoais, e, em geral, são permeadas por banquetes que por vezes nos remetem à infância e a momentos felizes. Assim, esses eventos são inesquecíveis e deliciosos em todos os sentidos. Por se tratar de uma situação bastante atípica, pontual e repleta de sentimentos associados às preparações, a principal recomendação é não ser muito rigoroso. Vale ressaltar que o organismo sabe compensar esses pequenos excessos quando há uma rotina de vida saudável previamente estabelecida. É importante que, ao longo do ano, você já tenha aprendido a fazer escolhas mais saudáveis, assim você saberá facilmente equilibrar o prazer, a diversão e o cuidado com a saúde.

ALGUMAS DICAS PRÁTICAS:

- Saiba priorizar suas escolhas: em meio a uma imensa variedade de opções, fique entre as saudáveis e as preferidas. Mate a fome com as saudáveis e deguste as preferidas; evite as demais. Um bom exemplo de alternativa saudável é consumir o arroz, seja ele branco ou um pouco mais elaborado, com carnes magras e salada de folhas e legumes.

- Verduras e legumes jamais devem ser esquecidos, pelo contrário, devem ser consumidos à vontade, pois ajudarão bastante na promoção de uma maior sensação de saciedade.

- Se você for convidado para um evento no qual as pessoas contribuem com o cardápio, peça para levar a salada. Dessa maneira, você poderá garantir uma vistosa e saborosa salada com grande variedade de hortaliças. Caso também queira preparar uma salada de batatas, troque a maionese pelo iogurte natural desnatado temperado com sal e azeite, e torne essa opção mais saudável.

- Troque as carnes gordurosas como o pernil, o tender e a costela pelas mais magras, como o peito do peru, o chester e o lombo de porco. Prefira o consumo destes na forma assada e sem a pele.

- Coma devagar e não fique pensando na próxima porção que será servida. Aproveite e saboreie os pratos. A necessidade desse "exercício" será discutida no fim deste capítulo.

- Para a sobremesa, prefira frutas ou preparações a base de frutas.
- As oleaginosas, como nozes, castanhas e amêndoas, apesar de possuírem gorduras saudáveis em sua composição, devem ser consumidas com moderação.
- No dia seguinte a um evento, nada de dietas radicais. Volte à sua rotina de atividades físicas e de alimentação saudável e, assim, não haverá prejuízos à saúde e nem à composição corporal.
- A melhor dica para esta ocasião é comemorar com bom-senso, e o melhor presente de Natal que você pode receber é o seu bem-estar físico e mental. Por isso, presenteie-se adotando hábitos de vida saudáveis.

A seguir, apresentamos mais quatro dicas básicas e muito importantes que podem ser aplicadas em todos os tipos de eventos sociais:

- Mantenha o seu dia a dia o mais saudável possível. Assim, as comemorações serão, de fato, seus únicos momentos para as exceções alimentares. O equilíbrio do organismo não é alterado por um pequeno deslize, mas sim por uma rotina com hábitos de vida pouco saudáveis. Como as opções de preparações disponíveis em festas e comemorações muitas vezes são pobres em fibras, vitaminas e minerais (frutas, verduras e legumes), é importante adotar uma certa continuidade na ingestão e consumo destes. Lembre-se que as preparações servidas em eventos possuem, em geral, um alto teor de gorduras saturadas e trans, bem como de açúcares, os quais devem ser evitados no dia a dia.

- Sempre planeje seu dia alimentar (com ou sem comemorações) para que você não permaneça longos períodos em jejum, garantindo uma rotina alimentar saudável. Assim, com menos fome, você conseguirá escolher melhor os alimentos, qualitativa e quantitativamente. Com fome perdemos o poder de escolha e comemos aquilo que está a nosso alcance. Não é recomendável "matar a fome" com guloseimas e preparações calóricas e de baixo valor nutricional.

- Alimentar-se antes de um evento social é fundamental. Não dá para ir a uma festa pensando em comida. As sugestões do que comer antes de sair variam de acordo com a fome, o horário do evento e o que será servido. As opções vão desde uma vitamina à base de leite desnatado, frutas e farelo de aveia ou uma salada de frutas com iogurte desnatado e granola light a um sanduíche saudável. Ou seja, que tenha em sua composição carboidratos, proteínas, fibras, vitaminas e minerais. Um bom exemplo de um sanduíche saudável é constituído por: pão integral e light (seja ele de forma, sírio, francês ou italiano, notando que é importante ser integral), salada (folhas diversas, cenoura, tomate e outros legumes de que mais gostar) e peito de peru, ou patê de atum light (feito com atum conservado em água, iogurte desnatado, azeite, pimenta e ervas), ou ainda filé de peito de frango grelhado. Esse tipo de sanduíche pode tanto ser levado de casa para o trabalho, quanto ser consumido em padarias, caso não tenha como conservá-lo refrigerado no local onde trabalha. Peça sempre sem molhos ou maionese.

- Saboreie os alimentos. É preciso ter um pouco de disciplina e autocontrole para conseguir comer com moderação e, assim, degustar (e não devorar) os alimentos, principalmente aqueles que não trazem muitos benefícios nutricionais, mas que estão inseridos no contexto do convívio social. Para isso, dê pequenas garfadas e mastigue devagar, concentre-se em saborear esse prato. Deleite-se como se só houvesse aquele único pedaço no mundo e você quisesse prolongar o sabor em sua boca. Lembre-se de que seu cérebro demora um pouco para receber a informação de que você já comeu o suficiente.

- Não deixe de sair e se divertir com medo de não resistir às tentações. A vida social é muito importante para o relaxamento e para a qualidade de vida. Invista em situações prazerosas à sua vida, desde que estas não estejam associadas apenas à comida. Os eventos devem ser momentos para conhecer pessoas novas, dançar, reencontrar amigos e se divertir sem depender dos alimentos para isso. Então, siga as recomendações e vamos às comemorações: divirta-se e coma sem culpa.

Segunda parte

COMENDO EM SEUS RESTAURANTES PREFERIDOS

A ideia principal desta parte do livro é mostrar que é possível comer bem mesmo fora de casa, seja em restaurantes, festas, jogos etc. Não é necessário deixar de frequentar festas e happy hours porque você está tentando manter uma alimentação saudável e/ou perder peso. Frequentar esses lugares faz parte da vida, e pretendemos ensinar um pouco sobre o que fazer nessas situações para manter uma alimentação adequada mesmo assim. Para efeito de comparação, todos os alimentos e preparações presentes nesta parte do livro foram ajustados para 100 g.

ESCOLHA ISSO

TABULE (100g)

CARBOIDRATO: 71,09%
PROTEÍNA: 14,06%
GORDURA TOTAL: 14,85%
VALOR CALÓRICO: 76,85 Kcal

NÃO AQUILO!

QUIBE CRU (100g)

CARBOIDRATO: 34,09%
PROTEÍNA: 11,01%
GORDURA TOTAL: 54,89%
VALOR CALÓRICO: 314,74 Kcal

DICA Para ingerir água de maneira eficaz, tente tomar um copo do líquido por hora. Não adianta ficar horas sem beber água e ao se lembrar, tomar 1 L de uma vez. Lembre-se: não temos uma caixa d'água para estocar grandes volumes.

ESCOLHA ISSO

HOMUS (100g)

CARBOIDRATO: 38,81%
PROTEÍNA: 14,06%
GORDURA TOTAL: 47,13%
VALOR CALÓRICO: 141,38 Kcal

NÃO AQUILO!

COALHADA (100g)

CARBOIDRATO: 28,16%
PROTEÍNA: 20,68%
GORDURA TOTAL: 51,16%
VALOR CALÓRICO: 157,99 Kcal

DICA Retirar duas fatias de queijo branco/dia de sua alimentação pode reduzir o consumo em 100 kcal por dia. No final de um mês isso pode chegar a 3.000 kcal – mais de 350 g de gordura/mês; em um ano, serão mais de 4 kg de gordura!

ESCOLHA ISSO

CUSCUZ MARROQUINO (100g)

CARBOIDRATO: 84,55%
PROTEÍNA: 13,87%
GORDURA TOTAL: 1,57%
VALOR CALÓRICO: 94,11 Kcal

NÃO AQUILO!

CHARUTINHO DE FOLHA DE UVA (100g)

CARBOIDRATO: 30,63%
PROTEÍNA: 45,24%
GORDURA TOTAL: 24,14%
VALOR CALÓRICO: 80,83 Kcal

DICA Nesta comparação temos um ótimo exemplo de como não devemos levar em conta apenas o valor calórico dos alimentos no momento da escolha. É preciso verificar também a quantidade de gordura presente. Mesmo com mais calorias, o cuscuz é muito mais saudável que o charuto, pois tem cerca de 20% menos gordura.

ESCOLHA ISSO

CAFÉ (100 mL)

CARBOIDRATO: 100%

PROTEÍNA: 0%

GORDURA TOTAL: 0%

VALOR CALÓRICO: 7 Kcal

OUTRA OPÇÃO

SUCO DE MORANGO (100 mL)

CARBOIDRATO: 100%

PROTEÍNA: 0%

GORDURA TOTAL: 0%

VALOR CALÓRICO: 28 Kcal

NÃO AQUILO!

CAPPUCCINO (100 mL)

CARBOIDRATO: 71%
PROTEÍNA: 11%
GORDURA TOTAL: 18%
VALOR CALÓRICO: 80 Kcal

OUTRA OPÇÃO

SUCO DE LARANJA NATURAL (100 mL)

CARBOIDRATO: 100%
PROTEÍNA: 0%
GORDURA TOTAL: 0%
VALOR CALÓRICO: 112 Kcal

CAFETERIA

ESCOLHA ISSO

ESFIHA DE CARNE (100g)

CARBOIDRATO: 49,1%
PROTEÍNA: 21,3%
GORDURA TOTAL: 30%
VALOR CALÓRICO: 150 Kcal

NÃO AQUILO!

FOLHADO DE PIZZA (100g)

CARBOIDRATO: 35%
PROTEÍNA: 13,5%
GORDURA TOTAL: 51,5%
VALOR CALÓRICO: 297 Kcal

DICA Não se engane! Não é consumindo vinho todos os dias que você terá os benefícios do flavonoide resveratrol, presente nesta bebida. Para consumir a quantidade deste flavonoide indicada nos estudos para ter seus benefícios, você precisaria ingerir 60 litros de vinho.

ESCOLHA ISSO

PÃO DE BATATA SEM RECHEIO (100g)

CARBOIDRATO: 65,4%
PROTEÍNA: 13,3%
GORDURA TOTAL: 21,3%
VALOR CALÓRICO: 211 Kcal

NÃO AQUILO!

PÃO DE QUEIJO (100g)

CARBOIDRATO: 44,8%
PROTEÍNA: 10,1%
GORDURA TOTAL: 45,9%
VALOR CALÓRICO: 286 Kcal

DICA O consumo de 10 g por dia de chocolate com alto teor de cacau (acima de 80%) comprovadamente diminui os efeitos do estresse, melhora a flora bacteriana intestinal, além de reduzir a vontade de consumir doces.

ESCOLHA ISSO

LOMBO AGRIDOCE (100g)

CARBOIDRATO: 39%
PROTEÍNA: 15%
GORDURA TOTAL: 46%
VALOR CALÓRICO: 160 Kcal

NÃO AQUILO!

LOMBO EMPANADO (100g)

CARBOIDRATO: 23%
PROTEÍNA: 22%
GORDURA TOTAL: 55%
VALOR CALÓRICO: 286 Kcal

DICA Cuidado com a quantidade de azeite! Apesar de ele ter um tipo de gordura saudável, não deve ser consumido à vontade.

ESCOLHA ISSO

GUIOZA COZIDO (1 UNIDADE)

CARBOIDRATO: 41%
PROTEÍNA: 20%
GORDURA TOTAL: 39%
VALOR CALÓRICO: 86 Kcal

NÃO AQUILO!

GUIOZA FRITO (1 UNIDADE)

CARBOIDRATO: 26%
PROTEÍNA: 13%
GORDURA TOTAL: 61%
VALOR CALÓRICO: 142 Kcal

DICA Evite adicionar muito sal à comida. Além de reduzir o seu paladar – já que o sal é predominante –, com o passar do tempo ele pode aumentar sua pressão arterial. Utilize outros temperos para dar sabor à comida, como mostarda, alho, cebola, alecrim, entre outras ervas.

CHINESA

ESCOLHA ISSO

YAKISSOBA DE LEGUMES (100g)

CARBOIDRATO: 59%

PROTEÍNA: 13%

GORDURA TOTAL: 28%

VALOR CALÓRICO: 112 Kcal

NÃO AQUILO!

YAKISSOBA DE CARNE (100g)

CARBOIDRATO: 37%
PROTEÍNA: 21%
GORDURA TOTAL: 42%
VALOR CALÓRICO: 179 Kcal

DICA Alternar atividades físicas aeróbicas de alta intensidade e curta duração com as de baixa intensidade e longa duração é a melhor maneira para estimular a queima de gordura em nosso organismo.

ESCOLHA ISSO

FRANGO XADREZ (100g)

CARBOIDRATO: 14%
PROTEÍNA: 24%
GORDURA TOTAL: 62% – 114 Kcal de gordura
VALOR CALÓRICO: 184 Kcal

NÃO AQUILO!

FRANGO EMPANADO (100g)

CARBOIDRATO: 33%

PROTEÍNA: 22%

GORDURA TOTAL: 55% – 212 Kcal de gordura

VALOR CALÓRICO: 386 Kcal

DICA A musculação é uma ótima arma na ajuda do emagrecimento. O ganho de massa muscular faz com que o nosso organismo gaste mais calorias para se manter. Mas não se engane, apenas fazer musculação não emagrece.

ESCOLHA ISSO

YAKIMESHI (100g)

CARBOIDRATO: 62%
PROTEÍNA: 14%
GORDURA TOTAL: 25%
VALOR CALÓRICO: 124 Kcal

NÃO AQUILO!

YAKIBIFUM (100g)

CARBOIDRATO: 41%

PROTEÍNA: 19%

GORDURA TOTAL: 41%

VALOR CALÓRICO: 180 Kcal

DICA Quanto mais músculos estiverem envolvidos no gesto esportivo, mais calorias serão gastas. Dessa forma, a corrida gasta mais calorias do que a bicicleta.

ESCOLHA ISSO

MUÇARELA DE BÚFALA (100g)

CARBOIDRATO: 4,84%
PROTEÍNA: 26,36%
GORDURA TOTAL: 68,18%
VALOR CALÓRICO: 264 Kcal

NÃO AQUILO!

QUEIJO PARMESÃO (100g)

CARBOIDRATO: 1,5%
PROTEÍNA: 31,6%
GORDURA TOTAL: 66,9%
VALOR CALÓRICO: 450,7 Kcal

DICA Procure sempre fazer atividade física sob a orientação de um profissional da área. Sem dúvida você alcançará seus objetivos mais rapidamente e correrá menos risco de se lesionar.

ESCOLHA ISSO

JAVALI (100g)

CARBOIDRATO: 0%
PROTEÍNA: 75,4%
GORDURA TOTAL: 24,6%
VALOR CALÓRICO: 160 Kcal

NÃO AQUILO!

PALETA DE CORDEIRO (100g)

CARBOIDRATO: 0%
PROTEÍNA: 35%
GORDURA TOTAL: 65%
VALOR CALÓRICO: 276 Kcal

DICA Quando for a uma churrascaria, aproveite a mesa de saladas, que é sempre muito boa e completa. Isso reduzirá sua fome e, consequentemente, seu consumo de carnes e frituras.

ESCOLHA ISSO

LOMBO (100g)

CARBOIDRATO: 0%
PROTEÍNA: 68,6%
GORDURA TOTAL: 27,4%
VALOR CALÓRICO: 210 Kcal

NÃO AQUILO!

FILÉ MIGNON GRELHADO (100g)

CARBOIDRATO: 0%
PROTEÍNA: 51,0%
GORDURA TOTAL: 49%
VALOR CALÓRICO: 220 Kcal

DICA Observe se você não é sempre o primeiro a fazer seu prato quando a refeição está servida. Se isso acontecer com frequência, essa ansiedade ao se servir pode continuar presente durante a refeição, induzindo a um consumo maior e mais rápido que o necessário.

ESCOLHA ISSO

PINTADO GRELHADO (100g) COM ARROZ BRANCO (100g)

CARBOIDRATO: 34,0%
PROTEÍNA: 54,5%
GORDURA: 11,5%
VALOR CALÓRICO: 135 Kcal

NÃO AQUILO!

PICANHA GRELHADA SEM GORDURA (100g) COM FAROFA (100g)

CARBOIDRATO: 22,5%
PROTEÍNA: 37,2%
GORDURA: 40,3%
VALOR CALÓRICO: 253 Kcal

DICA Evite ficar muitas horas sem se alimentar. Faça lanches leves (frutas, sucos, iogurtes) entre as refeições. Essa atitude é fundamental, pois quando estamos com muita fome nosso poder de escolha fica seriamente prejudicado. Sem fome, conseguimos optar melhor pelos alimentos que irão compor nossa refeição.

ESCOLHA ISSO

PEITO DE FRANGO GRELHADO (100g) COM PURÊ DE BATATA (100g)

CARBOIDRATO: 22,2%
PROTEÍNA: 38,5%
GORDURA TOTAL: 39,3%
VALOR CALÓRICO: 179,6 Kcal

NÃO AQUILO!

CHORIZO (100g) COM BATATA FRITA (100g)

CARBOIDRATO: 15,0%
PROTEÍNA: 27,7%
GORDURA TOTAL: 57,3%
VALOR CALÓRICO: 315,9 Kcal

DICA Dê preferência às bebidas fermentadas em vez das destiladas. O teor alcoólico da primeira é menor, levando à menor ingestão de calorias. Mas cuidado para não exagerar na quantidade de cerveja.

ESCOLHA ISSO

RISOTO DE FUNGHI (100g)

CARBOIDRATO: 52,9%
PROTEÍNA: 9,8%
GORDURA TOTAL: 37,3%
VALOR CALÓRICO: 165,8 Kcal

NÃO AQUILO!

RISOTO DE PARMESÃO (100g)

CARBOIDRATO: 29,2%
PROTEÍNA: 20,1%
GORDURA TOTAL: 50,6%
VALOR CALÓRICO: 207,9 Kcal

DICA O tamanho do prato (isto é, a quantidade de alimento no prato) não quer dizer nada: é possível comer pouco e mal, com muita gordura, ou "encher o prato" com poucas calorias.

CONTEMPORÂNEA

ESCOLHA ISSO

FRANGO AO CURRY E CHUTNEY DE MANGA COM ARROZ E LENTILHA (100g)

CARBOIDRATO: 49,6%

PROTEÍNA: 28,9%

GORDURA TOTAL: 21,5%

VALOR CALÓRICO: 129,2 Kcal

NÃO AQUILO!

STEAK AO MOLHO MOSTARDA COM ARROZ DE AMÊNDOAS (100g)

CARBOIDRATO: 28,5%
PROTEÍNA: 30%
GORDURA TOTAL: 41,5%
VALOR CALÓRICO: 167,3 Kcal

DICA Diversos estudos mostram que para uma criança aceitar provar um alimento novo, este alimento precisa ser oferecido a ela pelo menos dez vezes. Por isso, não desista de propor alguma fruta para seus filhos se eles não quiserem experimentá-la nas primeiras vezes que você tentar.

ESCOLHA ISSO

LINGUADO NA MOSTARDA COM PURÊ DE BATATA E SHIMEJI (100g)

CARBOIDRATO: 24,8%
PROTEÍNA: 42,5%
GORDURA TOTAL: 32,7%
VALOR CALÓRICO: 73,3 Kcal

NÃO AQUILO!

ATUM COM ALCAPARRAS E LEGUMES COZIDOS (100g)

CARBOIDRATO: 5,6%
PROTEÍNA: 49,1%
GORDURA TOTAL: 45,3%
VALOR CALÓRICO: 182,9 Kcal

DICA Nas receitas de bolos, tortas e pudins substitua cada ovo inteiro por duas claras. Assim, você terá uma boa redução no teor de gorduras totais e, consequentemente, de calorias.

ESCOLHA ISSO

NHOQUE DE BANANA DA TERRA COM CARNE SECA (100g)

CARBOIDRATO: 39,4%
PROTEÍNA: 21,6%
GORDURA TOTAL: 46,4%
VALOR CALÓRICO: 213 Kcal

NÃO AQUILO!

PICADINHO DE CORDEIRO COM NHOQUE DE AIPIM (100g)

CARBOIDRATO: 21,6%
PROTEÍNA: 17,4%
GORDURA TOTAL: 61,1%
VALOR CALÓRICO: 248 Kcal

DICA Evite descartar a água utilizada no cozimento dos vegetais, pois você também estará perdendo as vitaminas. Prepare os vegetais no vapor ou em pouca água, e vá adicionando pequenas quantidades de água fervendo ao longo do processo de cozimento. Assim, você utilizará apenas o necessário ao cozimento e evitará o descarte da água sobressalente repleta de vitaminas.

ESCOLHA ISSO

PURÊ DE BATATA-BAROA (100g)

CARBOIDRATO: 77%
PROTEÍNA: 5,1%
GORDURA TOTAL: 19,2%
VALOR CALÓRICO: 150 Kcal

NÃO AQUILO!

PURÊ DE CASTANHAS (100g)

CARBOIDRATO: 7,2%
PROTEÍNA: 8,2%
GORDURA TOTAL: 84,7%
VALOR CALÓRICO: 645 Kcal

DICA Substitua o creme de leite das preparações como estrogonofe, molho branco e risotos pelo requeijão 0% de gordura. Você obterá textura e sabor muito similares aos da receita original, porém, com uma grande redução de gorduras totais, gorduras saturadas e calorias.

INDIANA

ESCOLHA ISSO

CHUTNEY DE HORTELÃ (100g)

CARBOIDRATO: 49,2%
PROTEÍNA: 23,8%
GORDURA TOTAL: 27%
VALOR CALÓRICO: 52 Kcal

NÃO AQUILO!

CHUTNEY DE COCO (100g)

CARBOIDRATO: 20,8%
PROTEÍNA: 3,6%
GORDURA TOTAL: 75,6%
VALOR CALÓRICO: 250 Kcal

DICA Para elaborar um pudim de leite com teor reduzido de gorduras totais, colesterol, gorduras saturadas e calorias, mas ao mesmo tempo manter o sabor e a textura da receita tradicional, basta bater em um liquidificador: uma lata de leite condensado desnatado, a mesma medida de leite desnatado, cinco claras e uma gema. Unte a forma de maneira habitual e cozinhe em banho-maria.

ESCOLHA ISSO

MEAT KORMA (100g)

CARBOIDRATO: 11,3%
PROTEÍNA: 23,7%
GORDURA TOTAL: 65%
VALOR CALÓRICO: 236 Kcal

NÃO AQUILO!

ROGHAN GOSHT (100g)

CARBOIDRATO: 5%
PROTEÍNA: 31%
GORDURA TOTAL: 64%
VALOR CALÓRICO: 396 Kcal

DICA Lembre-se: as crianças aprendem mais com o que veem do que com aquilo que ouvem.

INDIANA

ESCOLHA ISSO

FRANGO INDIANO À JALFREZI (100g)

CARBOIDRATO: 18%

PROTEÍNA: 23,7%

GORDURA TOTAL: 58,3%

VALOR CALÓRICO: 169 Kcal

NÃO AQUILO!

TACO DE CARNE (100g)

CARBOIDRATO: 25,3%
PROTEÍNA: 22,8%
GORDURA TOTAL: 52,9%
VALOR CALÓRICO: 386,7 Kcal

DICA Nos restaurantes à la carte, evite o *couvert*.

ESCOLHA ISSO

SARDINHA ESCABECHE (100g)

CARBOIDRATO: 5,6%
PROTEÍNA: 70,4%
GORDURA TOTAL: 23,9%
VALOR CALÓRICO: 91,5 Kcal

OUTRA OPÇÃO

CEVICHE (100 g)

CARBOIDRATO: 33%
PROTEÍNA: 57%
GORDURA TOTAL: 10,0%
VALOR CALÓRICO: 66,7 Kcal

NÃO AQUILO!

SARDINHA FRITA (100g)

CARBOIDRATO: 0%
PROTEÍNA: 54%
GORDURA TOTAL: 46,0%
VALOR CALÓRICO: 247,9 Kcal

DICA Para a finalização dos risotos, troque a manteiga e o queijo gorduroso, como o parmesão, pelo cottage light. Ele também dará brilho e cremosidade à receita, características fundamentais para esse tipo de preparação.

ESCOLHA ISSO

NHOQUE AO SUGO (100g)

CARBOIDRATO: 77,4%
PROTEÍNA: 11,8%
GORDURA TOTAL: 10,8%
VALOR CALÓRICO: 159 Kcal

NÃO AQUILO!

LASANHA AOS QUATRO QUEIJOS (100g)

CARBOIDRATO: 46,59%

PROTEÍNA: 15,82%

GORDURA TOTAL: 37,52%

VALOR CALÓRICO: 151,1 Kcal

DICA Troque os sorvetes pelos sorbets (sorvetes a base de água em vez de leite). Com isso, você diminuirá o consumo de gorduras totais, saturadas e trans, além do colesterol e das calorias.

ESCOLHA ISSO

FETTUCCINE AO SUGO (100g)

CARBOIDRATO: 78%

PROTEÍNA: 14%

GORDURA TOTAL: 8%

VALOR CALÓRICO: 118 Kcal

NÃO AQUILO!

FETTUCCINE À MATRICIANA (100g)

CARBOIDRATO: 53%
PROTEÍNA: 12%
GORDURA TOTAL: 35%
VALOR CALÓRICO: 175,5 Kcal

DICA Para fazer preparações grelhadas não é necessário utilizar sequer uma gota de óleo ou azeite. Basta usar uma frigideira com antiaderente de boa qualidade e acrescentar, aos poucos, fios de água fervendo ao longo do processo de cozimento.

ESCOLHA ISSO

POLPETTONE COM SPAGHETTI AO SUGO (100g)

CARBOIDRATO: 40%

PROTEÍNA: 20%

GORDURA TOTAL: 40%

VALOR CALÓRICO: 198 Kcal

NÃO AQUILO!

FETTUCCINE AO RAGU DE CORDEIRO (100g)

CARBOIDRATO: 20%
PROTEÍNA: 30%
GORDURA TOTAL: 50%
VALOR CALÓRICO: 215 Kcal

DICA Substitua a maionese (presente em preparações como patês, salpicão, salada de batata, salada de macarrão, entre outras) pelo iogurte desnatado com temperos como: azeite, sal, pimenta moída na hora, ervas, cebola, alho e outros temperos que mais gostar.

ESCOLHA ISSO

RAVIÓLI DE RICOTA COM TOMATE (100g)

CARBOIDRATO: 42%
PROTEÍNA: 18%
GORDURA TOTAL: 40%
VALOR CALÓRICO: 155 Kcal

NÃO AQUILO!

RAVIÓLI DE MUÇARELA COM CALABRESA (100g)

CARBOIDRATO: 20%
PROTEÍNA: 20%
GORDURA TOTAL: 60%
VALOR CALÓRICO: 300 Kcal

DICA Para os lanches entre as refeições, prefira o consumo de frutas *in natura*. Quando não for possível, opte por frutas secas ou barrinhas e biscoitos integrais. Quanto mais natural o alimento, ou seja, quanto menos produtos industrializados/ processados você consumir, mais saudável será sua alimentação.

ITALIANA

ESCOLHA ISSO

CABELINHO DE ANJO INTEGRAL COM LEGUMES (100g)

CARBOIDRATO: 80%
PROTEÍNA: 15%
GORDURA TOTAL: 5%
VALOR CALÓRICO: 140 Kcal

NÃO AQUILO!

NHOQUE QUATRO QUEIJOS (100g)

CARBOIDRATO: 46%
PROTEÍNA: 14%
GORDURA TOTAL: 40%
VALOR CALÓRICO: 150 Kcal

DICA Cuidado! Não adianta escolher uma massa com molho de tomate e depois carregar de parmesão. A refeição que poderia ser mais saudável vai ter grande quantidade de gordura.

ESCOLHA ISSO

FUSILLI INTEGRAL COM ABOBRINHA E RICOTA (100g)

CARBOIDRATO: 60%

PROTEÍNA: 22%

GORDURA TOTAL: 18%

VALOR CALÓRICO: 140 Kcal

OUTRA COMPARAÇÃO

SPAGHETTI COM FRUTOS DO MAR

CARBOIDRATO: 55%

PROTEÍNA: 22%

GORDURA TOTAL: 23%

VALOR CALÓRICO: 145 Kcal

NÃO AQUILO!

LASANHA (100g)

CARBOIDRATO: 41%
PROTEÍNA: 18%
GORDURA TOTAL: 41%
VALOR CALÓRICO: 130 Kcal

DICA Para as massas de panquecas, tortas e bolos, experimente substituir metade da farinha branca pela integral. Com essa simples troca você estará aumentando a ingestão de fibras que, por sua vez, proporcionam maior sensação de saciedade, melhoram o funcionamento intestinal e mantêm a concentração de açúcar do sangue mais estável.

ESCOLHA ISSO

RISOTO DE ASPARGOS (100g)

CARBOIDRATO: 67%

PROTEÍNA: 23%

GORDURA TOTAL: 10%

VALOR CALÓRICO: 117 Kcal

NÃO AQUILO!

RISOTO AOS QUATRO QUEIJOS (100g)

CARBOIDRATO: 45%
PROTEÍNA: 15%
GORDURA TOTAL: 40%
VALOR CALÓRICO: 150 Kcal

DICA A melhor maneira de emagrecer com saúde é unir a prática regular de atividades físicas a uma alimentação saudável.

ESCOLHA ISSO

POLPETTONE À PARMEGIANA (100g)

CARBOIDRATO: 11%
PROTEÍNA: 37%
GORDURA TOTAL: 52%
VALOR CALÓRICO: 146 Kcal

NÃO AQUILO!

BIFE À PARMEGIANA (100g)

CARBOIDRATO: 30%
PROTEÍNA: 20%
GORDURA TOTAL: 50%
VALOR CALÓRICO: 192 Kcal

DICA Faça as refeições com calma. Às vezes, com a desculpa da falta de tempo, desenvolvemos o hábito de comer depressa, mesmo quando não estamos "contra o relógio".

ESCOLHA ISSO

TEMAKI CALIFÓRNIA (SEM MAIONESE) (100g)

CARBOIDRATO: 56,91%
PROTEÍNA: 21,68%
GORDURA TOTAL: 21,41%
VALOR CALÓRICO: 107,28 Kcal

NÃO AQUILO!

TEMAKI DE SALMÃO COMPLETO (100g)

CARBOIDRATO: 30,40%
PROTEÍNA: 31,51%
GORDURA TOTAL: 38,11%
VALOR CALÓRICO: 158,64 Kcal

DICA Lembre-se: alongamento não é aquecimento. Ao iniciar uma sessão de treinos, procure realizar, nos primeiros dez minutos, o gesto esportivo de maneira progressiva.

ESCOLHA ISSO

SUSHI DE ATUM (1 un)

CARBOIDRATO: 43,57%
PROTEÍNA: 51,67%
GORDURA TOTAL: 4,76%
VALOR CALÓRICO: 20,59 Kcal

NÃO AQUILO!

SUSHI DE SALMÃO (1 un)

CARBOIDRATO: 34,89%
PROTEÍNA: 32,18%
GORDURA TOTAL: 32,94%
VALOR CALÓRICO: 28,15 Kcal

DICA A caminhada é uma ótima maneira de começar a praticar esportes. Ela queima calorias, estimula a musculatura e o sistema cardiorrespiratório, e pode ser feita em qualquer lugar.

JAPONESA

ESCOLHA ISSO

UDON COM OVO (100g)

CARBOIDRATO: 54,10%
PROTEÍNA: 22,73%
GORDURA TOTAL: 23,17%
VALOR CALÓRICO: 119,56 Kcal

NÃO AQUILO!

TEMPURÁ DE LEGUMES (100g)

CARBOIDRATO: 72,22%
PROTEÍNA: 6,72%
GORDURA TOTAL: 31,06%
VALOR CALÓRICO: 172,66 Kcal

DICA Após realizar a mesma rotina de treinamento por doze meses, o processo de emagrecimento se retarda. Portanto, diversifique os treinos conforme o seu organismo for se acostumando com os estímulos.

ESCOLHA ISSO

PIZZA DE ATUM - MASSA FINA (100g)

CARBOIDRATO: 48,68%
PROTEÍNA: 34,11%
GORDURA TOTAL: 17,21%
VALOR CALÓRICO: 144,37 Kcal

NÃO AQUILO!

PIZZA DE CALABRESA - MASSA FINA (100g)

CARBOIDRATO: 35,35%
PROTEÍNA: 20,60%
GORDURA TOTAL: 44,05%
VALOR CALÓRICO: 225,54 Kcal

DICA O Colégio Americano de Medicina Esportiva recomenda a realização de 300 minutos semanais de atividade física para a perda e/ou manutenção de peso. Isso representa 60 minutos por dia, cinco vezes por semana.

ESCOLHA ISSO

PIZZA CAPRESE - MASSA GROSSA (100g)

CARBOIDRATO: 54,40%
PROTEÍNA: 18,42%
GORDURA TOTAL: 27,18% - 81,54 Kcal
VALOR CALÓRICO: 300 Kcal

NÃO AQUILO!

PIZZA CAPRESE - MASSA FINA (100g)

CARBOIDRATO: 33%

PROTEÍNA: 22%

GORDURA TOTAL: 45% - 100 Kcal

VALOR CALÓRICO: 225 Kcal

DICA Não se engane! O que aumenta a quantidade de gordura da pizza é o recheio, e não a massa. Ao escolher a massa fina precisamos de vários pedaços para nos sentirmos satisfeitos, e acabamos ingerindo mais gordura por causa do recheio. Com a massa mais grossa comemos menos fatias, logo, menos recheio e menos gordura.

ESCOLHA ISSO

PIZZA DE ESCAROLA SEM QUEIJO - MASSA FINA (100g)

CARBOIDRATO: 71,05%
PROTEÍNA: 13,70%
GORDURA TOTAL: 15,25%
VALOR CALÓRICO: 99,65 Kcal

NÃO AQUILO!

PIZZA DE FRANGO COM CATUPIRY – MASSA FINA (100g)

CARBOIDRATO: 50,49%
PROTEÍNA: 31,71%
GORDURA TOTAL: 17,80%
VALOR CALÓRICO: 140,54 Kcal

DICA Consuma sempre um prato de salada antes das refeições. Além de garantir uma boa ingestão de fibras, você ficará satisfeito com menor quantidade de alimentos no prato principal.

ESCOLHA ISSO

PIZZA DE RICOTA - MASSA FINA (100g)

CARBOIDRATO: 57%
PROTEÍNA: 22%
GORDURA TOTAL: 21%
VALOR CALÓRICO: 157,40 Kcal

NÃO AQUILO!

PIZZA MARGUERITA - MASSA FINA (100g)

CARBOIDRATO: 36%
PROTEÍNA: 25%
GORDURA TOTAL: 39%
VALOR CALÓRICO: 222,89 Kcal

DICA Deixe para tomar seu vinho em situações especiais. Escolha um bom lugar, uma boa garrafa, uma boa taça, uma boa companhia e desfrute esse momento. Não banalize a ingestão dessa bebida tão elaborada.

ESCOLHA ISSO

PIZZA DE BRÓCOLIS COM QUEIJO - MASSA FINA (100g)

CARBOIDRATO: 47%

PROTEÍNA: 22%

GORDURA TOTAL: 31%

VALOR CALÓRICO: 165,95 Kcal

OUTRA OPÇÃO

CROSTINI (MASSA DE PIZZA COM ERVAS)

CARBOIDRATO: 83%

PROTEÍNA: 13,5%

GORDURA TOTAL: 3,5%

VALOR CALÓRICO: 107,74 Kcal

NÃO AQUILO!

PIZZA DE QUATRO QUEIJOS - MASSA FINA (100g)

CARBOIDRATO: 23%
PROTEÍNA: 26%
GORDURA TOTAL: 51%
VALOR CALÓRICO: 248,89 Kcal

DICA Cuidado com os alimentos 0% de gordura. Seu consumo não deve ser à vontade, afinal, eles trazem calorias de outros nutrientes.

ESCOLHA ISSO

BACALHAU À GOMES DE SÁ (100g)

CARBOIDRATO: 31%
PROTEÍNA: 41,8%
GORDURA TOTAL: 27,2%
VALOR CALÓRICO: 170 Kcal

NÃO AQUILO!

BACALHAU ÀS NATAS (100g)

CARBOIDRATO: 15%
PROTEÍNA: 38%
GORDURA TOTAL: 47%
VALOR CALÓRICO: 172,63 Kcal

DICA Diminua o consumo de carne vermelha. Trocar a carne vermelha pela branca (peixes e frango) pode diminuir o consumo de gordura pela metade! Enquanto um filé de tilápia (St. Peter) possui 12% de gordura, o filé mignon possui cerca de 40%. Menos gordura = menos calorias para a mesma porção.

ESCOLHA ISSO

BACALHAU À MODA (100g)

CARBOIDRATO: 17,9%
PROTEÍNA: 37,1%
GORDURA TOTAL: 45%
VALOR CALÓRICO: 230 Kcal

NÃO AQUILO!

PAELLA PORTUGUESA (100g)

CARBOIDRATO: 28,8%
PROTEÍNA: 12,2%
GORDURA TOTAL: 59%
VALOR CALÓRICO: 195 Kcal

DICA Nos restaurantes por kilo, veja antes as opções que estão sendo servidas no buffet e já faça suas escolhas, assim você evita pegar os alimentos que normalmente consome e só depois descobrir aquele purê de mandioquinha que você ama, por exemplo.

ESCOLHA ISSO

ROBALO AO FORNO (100g)

CARBOIDRATO: 0%
PROTEÍNA: 94,2%
GORDURA TOTAL: 5,8%
VALOR CALÓRICO: 116 Kcal

OUTRA COMPARAÇÃO

RAVIÓLI DE CAMARÃO (100 g)

CARBOIDRATO: 78,8%
PROTEÍNA: 14,6%
GORDURA TOTAL: 6,5%
VALOR CALÓRICO: 165 Kcal

NÃO AQUILO!

LASCAS DE BACALHAU (100g)

CARBOIDRATO: 3,7%
PROTEÍNA: 72%
GORDURA TOTAL: 24,3%
VALOR CALÓRICO: 133 Kcal

OUTRA COMPARAÇÃO

BOLINHO DE BACALHAU (100 g)

CARBOIDRATO: 34,5%
PROTEÍNA: 21,1%
GORDURA TOTAL: 44,4%
VALOR CALÓRICO: 218,21 Kcal

ESCOLHA ISSO

FROZEN DE IOGURTE LIGHT (100g)

CARBOIDRATO: 89,3%
PROTEÍNA: 10,7%
GORDURA TOTAL: 0%
VALOR CALÓRICO: 78 Kcal

OUTRA OPÇÃO

SORVETE DE CASQUINHA MISTO (BAUNILHA COM CHOCOLATE) (100 g)

CARBOIDRATO: 6,5%
PROTEÍNA: 20,5%
GORDURA TOTAL: 24,5%
VALOR CALÓRICO: 150,8 Kcal

NÃO AQUILO!

SORVETE DE CREME (100g)

CARBOIDRATO: 56%

PROTEÍNA: 6%

GORDURA TOTAL: 38%

VALOR CALÓRICO: 180,3 Kcal

DICA Procure levar consigo alimentos saudáveis e práticos para as refeições intermediárias, como frutas secas, castanhas, frutas *in natura*. Nem só de barras de cereais se faz um lanche.

ESCOLHA ISSO

SORBET DE MARACUJÁ (100g)

CARBOIDRATO: 100%
PROTEÍNA: 0%
GORDURA TOTAL: 0%
VALOR CALÓRICO: 113,2 Kcal

OUTRA OPÇÃO

SORVETE DE CHOCOLATE (100 g)

CARBOIDRATO: 55,5%
PROTEÍNA: 6,3%
GORDURA TOTAL: 38,2%
VALOR CALÓRICO: 180 Kcal

NÃO AQUILO!

SORVETE DE COCO (100g)

CARBOIDRATO: 53,6%
PROTEÍNA: 7,1%
GORDURA TOTAL: 39,4%
VALOR CALÓRICO: 186,7 Kcal

DICA Preste mais atenção ao que você come! Leia a tabela de informações nutricionais e a lista de ingredientes presentes nos rótulos dos alimentos. Dê preferência para os alimentos com maior teor de vitaminas, minerais e fibras. Evite aqueles com maior teor de conservantes, aditivos químicos, gorduras saturadas, trans e vegetal hidrogenada, bem como o creme de leite e açúcares.

SOBREMESA

ESCOLHA ISSO

PUDIM DE LEITE (100g)

CARBOIDRATO: 63%
PROTEÍNA: 12%
GORDURA TOTAL: 25%
VALOR CALÓRICO: 160 Kcal

NÃO AQUILO!

ROMEU E JULIETA (100g)

CARBOIDRATO: 53%
PROTEÍNA: 13%
GORDURA TOTAL: 34%
VALOR CALÓRICO: 269 Kcal

OUTRA OPÇÃO

GOIABADA SEM QUEIJO (50 g)

CARBOIDRATO: 99%
PROTEÍNA: 1%
GORDURA TOTAL: 0%
VALOR CALÓRICO: 137 Kcal

ESCOLHA ISSO

SALADA DE FRUTAS (100g)

CARBOIDRATO: 90,7%
PROTEÍNA: 6,6%
GORDURA TOTAL: 2,7%
VALOR CALÓRICO: 90 Kcal

OUTRA OPÇÃO

SALADA DE FRUTAS (100 g) COM LEITE CONDENSADO (20 g ou 1 colher de sopa)

CARBOIDRATO: 80,5%
PROTEÍNA: 8,4%
GORDURA TOTAL: 11,1%
VALOR CALÓRICO: 150 Kcal

NÃO AQUILO!

DOCE DE LEITE COM QUEIJO BRANCO (100g)

CARBOIDRATO: 42%
PROTEÍNA: 18%
GORDURA TOTAL: 40%
VALOR CALÓRICO: 290 Kcal

OUTRA OPÇÃO
DOCE DE LEITE (50 g)
CARBOIDRATO: 74%
PROTEÍNA: 10%
GORDURA TOTAL: 16%
VALOR CALÓRICO: 158 Kcal

ESCOLHA ISSO

MOUSSE DE MARACUJÁ (100g)

CARBOIDRATO: 49,2%
PROTEÍNA: 8,8%
GORDURA TOTAL: 42%
VALOR CALÓRICO: 218 Kcal

NÃO AQUILO!

MOUSSE DE CHOCOLATE (100g)

CARBOIDRATO: 37,43%
PROTEÍNA: 6,3%
GORDURA TOTAL: 56,3%
VALOR CALÓRICO: 309 Kcal

DICA Sempre que possível, opte por alimentos preparados com farinha integral. Além de mais nutritivos, possuem mais fibras, que ajudam no funcionamento do intestino.

ESCOLHA ISSO

DOCE DE ABÓBORA (100g)

CARBOIDRATO: 97,6%
PROTEÍNA: 1,60%
GORDURA TOTAL: 0,80%
VALOR CALÓRICO: 223,8 Kcal

NÃO AQUILO!

COCADA (100g)

CARBOIDRATO: 72%

PROTEÍNA: 1%

GORDURA TOTAL: 27%

VALOR CALÓRICO: 452 Kcal

DICA Frutas com casca e alimentos crus possuem grande quantidade de fibra alimentar. As fibras auxiliam na redução do colesterol ruim e também previnem câncer de intestino.

ESCOLHA ISSO

TORTA DE LIMÃO (100g)

CARBOIDRATO: 61,49%
PROTEÍNA: 5,11%
GORDURA TOTAL: 33,4%
VALOR CALÓRICO: 251 Kcal

NÃO AQUILO!

STRUDEL COM SORVETE DE CREME (100g)

CARBOIDRATO: 52%
PROTEÍNA: 26,5%
GORDURA TOTAL: 21,5%
VALOR CALÓRICO: 555 Kcal

DICA Atenção aos enlatados, pois a maioria possui grande quantidade de sal, óleo ou azeite. Para evitar o uso de conservantes químicos, a indústria tem usado esses outros produtos como forma de conservação dos alimentos.

ESCOLHA ISSO

CHEESECAKE (100g)

CARBOIDRATO: 41,4%
PROTEÍNA: 12%
GORDURA TOTAL: 46,6%
VALOR CALÓRICO: 260 Kcal

NÃO AQUILO!

PETIT GÂTEAU (100g)

CARBOIDRATO: 47%
PROTEÍNA: 27%
GORDURA TOTAL: 26%
VALOR CALÓRICO: 574,3 Kcal

DICA Ao contrário do que diz o poeta, não coma desta vez como se fosse a última. A quantidade de comida não deve ser proporcional ao tamanho da sua fome, e sim à sua necessidade nutricional.

ÍNDICE REMISSIVO

P

Q

R

S

T

U

Y

BIBLIOGRAFIA

1. [TACO] Tabela Brasileira de Composição de Alimentos. 4.ed. 2011. Disponível em: http://www.unicamp.br/nepa/taco/contar/taco_4_edicao_ampliada_e_revisada.pdf?arquivo=taco_4_versao_ampliada_e_revisada.pdf.
2. DietWin Profissional 2.0 Software de Nutrição.
3. U.S. Department of Agriculture, Agricultural Research Service. 2001. USDA Nutrient Database for Standart Reference, Release 14.
4. http://www.ars.usda.gov/SP2UserFiles/Place?12354500/Data/SR23/nutrlist/sr23a269.pdf.
5. Universidade de São Paulo. Faculdade de Ciências Farmacêuticas. Departamento de Alimentos e Nutrição Experimental. Tabela Brasileira de Composição de Alimentos-USP. Versão 4.1. No ar desde 1998 [nov 2011]. Disponível em: http://www.fcf.usp.br/tabela.

RR DONNELLEY

IMPRESSÃO E ACABAMENTO
Av Tucunaré 299 - Tamboré
Cep. 06460.020 - Barueri - SP - Brasil
Tel.: (55-11) 2148 3500 (55-21) 3906 2300
Fax: (55-11) 2148 3701 (55-21) 3906 2324

IMPRESSO EM SISTEMA CTP